サンドイッチ教本

坂田阿希子

東京書籍

contents

1 おいしさの基本　この本で使うパン　4
2 おいしさの基本　パンの厚さとフィリングの関係　6
3 おいしさの基本　パンにはさむ順番　7
4 おいしさの基本　野菜の水きり　8
5 おいしさの基本　はさんだら落ち着かせる　8
6 おいしさの基本　パンをトーストするとき　9
7 おいしさの基本　サンドイッチの切り方　10
8 おいしさの基本　いろいろな切り方　11
9 おいしさの基本　パンにぬるもの——バターとマヨネーズ　12
10 おいしさの基本　マヨネーズを手作りする　13

11 卵サンド　14
12 スクランブルエッグサンド　16
13 チーズサンド　17
14 ハムサンド　18
15 ハムステーキサンド　19
16 ハムカツサンド　20
17 コンビーフサンド　21
18 タラモサラダサンド　22
19 ツナサンド　23
20 和風ツナサンド　24
21 かまぼこサンド　24
22 きんぴらサンド　25
23 ポテトサラダサンド　26
24 サモササラダサンド　28
25 マカロニサラダサンド　29
26 ナポリタンドッグ　30
27 焼きそばパン　31
28 ポテトチップスサンド　32
29 クレソンだけサンド　33
30 アスパラガスだけサンド　34
31 レタスだけサンド　35
32 きゅうりだけサンド　36
33 にんじんだけサンド　37
34 ミックスサラダサンド　38
35 えび&アボカドサンド　39
36 かに&アボカドサンド　40
37 B.L.T. サンド　42
38 クラブハウスサンド　44
39 クロックムッシュ　46
40 クロックマダム　48
41 生ハム&ラディッシュサンド　49
42 オイルサーディンのオープンサンド　50
43 トマトのブルスケッタ　51
44 ローストビーフサンド　52
45 ビーフステーキサンド　53
46 ビーフカツサンド　54
47 トンカツサンド　56
48 ポーク、野菜&目玉焼きサンド　58
49 チキン南蛮サンド　60
50 カレー・ド・チキンサンド　61
51 中国風照り焼きチキンサンド　62
52 チャーシューサンド　63
53 メンチカツサンド　64
54 コロッケサンド　66
55 えびカツサンド　68
56 あじの干ものフライサンド　70
57 キーマカレーパン　71
58 ピロシキ風　72
59 バインミー　74
60 プルコギサンド　76
61 トルコ風さばサンド　77
62 フムスサンド　78
63 ファラフェルサンド　80

64	自家製リエットサンド 82		87	ミックスフルーツサンド 108
65	レバーペーストサンド 84		88	黄桃のヨーグルトクリームサンド 110
66	サーモンペーストサンド 86		89	バナナと黒糖のコーヒーバターサンド 111
67	チーズペーストのオープンサンド 87		90	りんごのシナモンクリームサンド 112
68	なすのペーストサンド 88		91	練乳いちごパン 114
69	きのこのペーストサンド 89		92	はちみつマンゴーサンド 115
70	ホットドッグ 90		93	自家製マロンクリームサンド 116
71	チリコンドッグ 91		94	あずきクリーム＆いちごサンド 118
72	ハンバーグサンド 92		95	あんこバターサンド 119
73	スタンダードハンバーガー 94		96	クルクルあんドーナツ 119
74	チーズバーガー 95		97	チョコクリーム＆クルミサンド 120
75	ベーコンエッグバーガー 96		98	バター＆ジャムサンド 121
76	サルサバーガー 97		99	ピーナツバター＆マーマレードサンド 121
77	サイドメニュー ポテトフライ 98		100	手作りカスタードサンド 122
78	サイドメニュー ポテトフライバリエ 99			
79	サイドメニュー ポテトチップス 100			食べたい素材で探す index 124
80	サイドメニュー オニオンリングフライ 101			
81	サイドメニュー ザワークラウト 102			
82	サイドメニュー コールスロー 103			
83	サイドメニュー ミックスピクルス 104			
84	サイドメニュー フルーツマリネ 105			
85	サイドメニュー 自然派ジャム 106			＊計量単位は、1カップ＝200㎖、大さじ1＝15㎖、小さじ1＝5㎖です。
86	サイドメニュー パンの耳ドーナツ 107			＊ガスコンロの火加減は、特にことわりのない場合、中火です。

この本で使うパン

1 おいしさの基本

サンドイッチは、パンとフィリング（はさむ具）で作ります。
そのどちらもがちゃんとしていることが、おいしいサンドイッチの基本条件。
まずはパン。どのサンドイッチにどのパンを使うか、特に決まりはありませんが、
そのまま食べてみておいしいと思えるものを選びましょう。
ここでは、この本で使ったパンを紹介します。

角食、山型

やわらかくて真っ白な食パンは、この本でもっともよく登場するパン。型にふたをして焼いたものが角食で、ふたをしないで焼いたものが山型。角食の方がふたで生地の膨らみをおさえている分きめが細かく、モチッとした食感。

食パン

サンドイッチ用（白・黒）

サンドイッチ用としてスライスして売っている食パン。1斤を12枚に切ったもので、厚さは約1cm。白色のもの、茶色のもの、キャラウェイシード入りの茶色のものなどがあります。この本では耳つきのものを用意し、耳を切り落として使っています。

雑穀入り、クルミ入り

近年のヘルシー志向に合わせた、雑穀を練り込んだ食パン、香ばしさが人気のクルミ入りの食パン。どちらも日本の食パンならではの、しっとりとしたタイプ。

バゲット

フランスパンの代表格。パリッとした皮とシンプルな味わいが特徴。店によって長さ、太さ、クープ（切り目）の数などさまざまで、斜めにスライスして使うのが一般的。ドッグパンくらいの食べきりサイズのものもサンドイッチには便利。

ソフトフランスパン

形はバゲットと同様ですが、やわらかめでしっとりタイプの日本的なパン。アジアンテイストのサンドイッチに使います。

パン・ド・カンパーニュ(下)、パン・ド・ロデブ(上)

基本的に天然酵母を用い、全粒粉やライ麦を使った田舎パンが、パン・ド・カンパーニュ。しっとりとした食感、ほのかな酸味が特徴。パン・ド・ロデブは、全粒粉やライ麦は入れず、水分量が多く、パン・ド・カンパーニュよりモチッとしていて酸味が少ないのが特徴です。

サブマリン

牛乳と卵白を入れた、真っ白い生地のしっとりとした食感のパン。軽い食べ心地が特徴。好みの厚さに切ってサンドイッチに使います。

コッペパン

かつて学校給食に登場していた、素朴な味わいのソフトパン。ドッグパンより大きめなので具がはさみやすく、お総菜パンにぴったり。

ブリオッシュ

水の代わりに牛乳を加え、バターと卵を多く使ったフランスの菓子パン。フルーツやクリームなどをはさんだデザートサンドに向きます。

ピタパン

中東の代表的な平焼きパンで、中が空洞になっているのが特徴。この空洞にフィリングを詰めてサンドイッチにします。市販されているものには、薄いタイプ、厚いタイプ、ごまつきなどがあります。

ドッグパン、バンズ

ホットドッグ用のパンがドッグパン、ハンバーガーに使うパンを一般的にバンズといいます。ソーセージやハンバーグをはさむのはもちろん、フライや照り焼きなど、しっかりとした肉のおかずにもよく合います。

バターロール

バターや牛乳、砂糖などを加えて作った、ほんのり甘くてやさしい味わいのパン。生地をのばして巻いてから焼いたロールパン、生地を丸めて焼いた丸形などがあります。

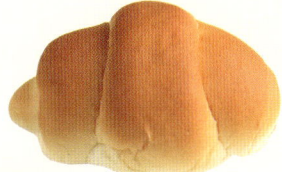

パンの厚さとフィリングの関係

2 おいしさの基本

サンドイッチは、フィリング（具）とのバランスが重要。
フィリングが少ないのにパンが厚すぎたり、
逆に、フィリングがボリュームたっぷりなのにパンが薄すぎたりでは
おいしさが半減してしまいます。
食べたときのバランスを考えて、どんな厚さのパンを使うかを決めましょう。

12枚切り

1斤を12枚に切ったもので、約1cm厚さ。いわゆるサンドイッチ用とされているもの。ハムやスライスチーズ、レタスなどの薄いもの、シンプルなフィリングのときに。3枚重ねのサンドイッチにも使います。

たとえば……

p.14 卵サンド　　p.17 チーズサンド

8枚切り

1斤を8枚に切ったもので、約1.5cm厚さ。ポテトサラダやスクランブルエッグ、ローストビーフなど、軽めの主菜をフィリングにするときに。しっかり味の主菜は耳つきで。

たとえば……

p.52 ローストビーフサンド　　p.60 チキン南蛮サンド

6枚切り

1斤を6枚に切ったもので、約2cm厚さ。ビーフステーキなどボリュームのあるものや、トンカツなど厚みのあるフィリングに。しっとり感の欲しいクロックムッシュにも使います。

たとえば……

p.54 ビーフカツサンド　　p.68 えびカツサンド

おいしさの基本 3

パンにはさむ順番

同じフィリングでも、どんな順番にはさんでいくかで
おいしさの感じ方が違ってくるから不思議。
また、フィリングがパンから出てしまったり、
フィリングの水分がパンにしみたり……といった失敗をなくすためにも
はさむ順番を決めておくのがよいでしょう。

たとえば……B.L.T.サンド

辛子マヨネーズをぬる

辛子マヨネーズのほか、バター、辛子バター、マヨネーズなど、パンとフィリングの間に壁を作ることが基本。風味をつけるだけでなく、フィリングの水分がパンにしみ込むのを防ぐ役目があります。

レタスをおく

レタスは、頬張ったときの食べやすさ、ほかの具とのバランスなどを考えて、せん切りにしてパンの上におきます。好みで、ちぎったレタスをのせてもよいでしょう。レタスはしっかりと水気をきっておくこと（p.8参照）。ほかの葉野菜も同様。

トマトを並べる

5mm厚さの輪切りにし、余分な水分をとってレタスの上に並べる。端を重ねながら並べると、パンからはみ出すことなくきれいに切れます。きゅうり、アボカドなど、薄切りにしたものはこの方法で。

ベーコンをのせる

B.L.T.サンドのおいしさは、厚切りベーコンのカリカリさにあります。このカリカリさを生かすためには、一番上において野菜の水分がなるべく移らないようにすること。そして、この上から辛子マヨネーズをぬったパンを重ねます。

4 野菜の水きり

おいしさの基本

ちょっと時間がたってもおいしい、それがサンドイッチの魅力。
そのために必須なのが、野菜の下ごしらえ＝水きりです。
野菜に水分が残っているとパンがベチャッとしてしまい、
せっかくのサンドイッチが台無しに。
特に注意したいのはレタスやキャベツなどの葉野菜。
きっちりと水気を拭きとる、このひと手間がおいしさを左右します。

レタスはせん切りもしくは手でちぎり、水に放し、シャキッとさせます。

せん切りにしたものはザルに上げて水気をきります。

手でちぎったものは、水きり器で水きりするのが確実。

さらにペーパータオルで水気を拭きとります。トマト、きゅうり、玉ねぎなどの薄切りも、ペーパータオルで水気を拭きとることが大切。

5 はさんだら落ち着かせる

おいしさの基本

パンでフィリングをはさんだら、すぐに切るのはちょっと待って。
少しおいて落ち着かせると、パンとフィリングがなじみ、
切りやすくなります。切ったあともバラバラになりにくいので、
盛りつけしやすく、また、食べやすくなります。

方法1……手で軽く押さえてなじませ、それから切り分けます。

方法2……ラップで包んで食べるまでこのままおいておき、食べる直前に切り分けます。すぐに食べない場合もこの方法で。

おいしさの基本

6 パンをトーストするとき

パンをトーストするかしないかは、お好み次第。
トーストする場合は、両面とも香ばしくさせたいか、
片面だけサクッとさせたいかの、2タイプ。
いずれも、焼くことで表面の水分が飛び、
カリッ、サクッとした食感が生まれます。
この本ではフィリングによって使い分けています。

両面とも トースト

パン2枚を並べてオーブントースターまたはトースターで焼きます。これで両面ともきつね色になってカリッ。かたい食材をはさむとき、ウエッティなものをはさむとき、ボリューム感を出したいとき、サクッという食感を楽しみたいときなどに。

たとえば……

p.25 きんぴらサンド

p.56 トンカツサンド

片面だけ トースト

パン2枚を重ねてオーブントースターで焼きます。下面と上面だけカリッとなって、重ね合わせた中面は焼けずにしっとりのまま。サクッとした食感とふんわりとした食感のどちらも欲しいとき、フィリングとパンをしっかりとなじませたいときなどに。

たとえば……

p.19 ハムステーキサンド

p.42 B.L.T. サンド

サンドイッチの切り方

7 おいしさの基本

パンにフィリングをはさんだら、あとは切り分けるだけ。
といっても、この最後のプロセスが重要。
よく研いだ切れ味のよい包丁で、一気に切りましょう。
切り口がきれいだと、それだけでおいしそうに見えます。

包丁とパン切りナイフ

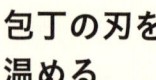

サンドイッチはパン切りナイフで切るものと思っていませんか。実はいつも使っている包丁の方がおすすめです。パン切りナイフは刃が波打っているので、具材によっては、ずれてしまうことがあるからです。ある程度刃の長い、よく切れる包丁を使いましょう。ただし、トーストしたパンを使ったサンドイッチ、バゲットなど表面がカリッとしているものは、パン切りナイフの方がパンをつぶさずに切ることができます。

包丁の刃を温める

サンドイッチに包丁を入れたとき、スーッときれいに切れるのが理想。そのためには刃を直火にかざして温めてから切るのがおすすめ。パンやフィリングが包丁にくっつきにくくなります。直火にかざす代わりに熱湯にくぐらせてもOK。

サンドイッチを切る

まずはパンの耳を切り落とす、そのあとパンを手で軽く押さえ、包丁を斜めに入れ、手前に引くようにしてゆっくりと切ります。1回切るごとに包丁についた具材を布巾などで拭きとり、切っていきます。

おいしさの基本 8

いろいろな切り方

見た目の変化をつけるために知っておきたいのが
サンドイッチの切り方。食べやすさだけでなく、盛りつける器、
そのときの気分、シチュエーションなどで、チョイスします。

縦半分で2切れ

斜め半分に切って2切れ
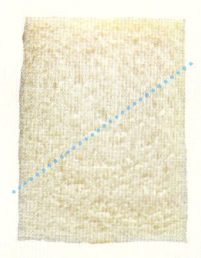

横半分で2切れ
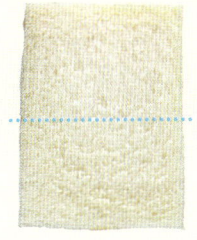

対角線に切って2切れ

横3等分で3切れ
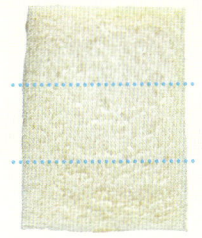

両対角線に切って4等分にし、4切れ

十字に切って4等分にし、4切れ
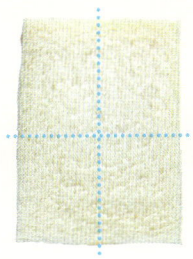

下から⅓の位置で横に切り、残りを対角線に切り、3切れ

パンにぬるもの——バターとマヨネーズ

9 おいしさの基本

フィリングをはさむ前に、まずはパンにバターやマヨネーズをぬるのが基本。風味がついておいしくなるのはもちろんのこと、フィリングの水分や油分がパンにしみ込むのを防ぐコーティングの役割もあります。
また、パンを湿らすことなく、パンとフィリングをくっつける接着剤の役目も。ここでは、この本で使ったバターとマヨネーズを紹介します。

バター
室温に出してやわらかくしておくのが基本。

マヨネーズ
好みのものを用意。手作りマヨネーズもおすすめ（p.13参照）。

辛子バター
辛子（イギリスマスタード）大さじ1＋バター大さじ4
※和辛子を使う場合は小さじ2＋バター大さじ4

辛子マヨネーズ
辛子（イギリスマスタード）大さじ1＋マヨネーズ大さじ4
※和辛子を使う場合は小さじ2＋マヨネーズ大さじ4

粒マスタードマヨネーズ
粒マスタード大さじ1＋マヨネーズ大さじ4

にんにくマヨネーズ
にんにくのすりおろし小さじ¼（⅓片分）＋マヨネーズ大さじ4

辛子とマスタード

この本のレシピに出てくる「辛子バター」「辛子マヨネーズ」に使われているのは、すべてイギリスマスタード。フレンチマスタードとは違い、日本の辛子のような色と香りのマスタードです。この本で使用しているのはコールマンズというメーカーのもので、イギリスではマスタードの代名詞になっています。鼻に抜けるツンとした辛みとコクが特徴。代用として、和辛子を使ってもよいでしょう。イギリスマスタードより辛みが強いので、量は少し控えめに。

この本のレシピに出てくる「粒マスタードマヨネーズ」に使われているのは、フランスの粒マスタード。ツンとした辛さがなく、甘酸っぱい酸味とまろやかな味わいが特徴。プチプチとしたマスタードシードの食感がアクセント。好みのメーカーのものを選びます。

10 おいしさの基本

マヨネーズを手作りする

マヨネーズの主材料は、卵黄、酢、オイル。
どれも身近なものだから、思い立ったときにすぐに手作りできます。
市販のものよりツンとした酸っぱさがなく、やさしい味わい。
保存瓶に入れておけば、冷蔵庫で2〜3週間もちます。
サンドイッチのほか、サラダなどにも使い回せます。

材料／作りやすい分量
卵黄　2個分
塩　小さじ1
こしょう　少々
白ワインビネガー　小さじ2
ピーナツオイル（またはサラダ油）
　120ml
オリーブオイル　80ml
砂糖　小さじ½
レモン汁　小さじ1½

4
オリーブオイルを少しずつ細くたらしながら加え、その都度混ぜ、乳化させる。

1
ボウルに卵黄を入れ、泡立て器で混ぜる。

5
砂糖を入れ、レモン汁を加えて好みの酸味に調える。

2
塩、こしょう、白ワインビネガーを加えて混ぜ合わせる。

6
マヨネーズ状になるまでしっかりと混ぜ合わせる。

3
ピーナツオイルを少しずつ細くたらしながら加え、その都度混ぜていく。

卵サンド

ピクルスをたっぷり入れた卵サラダを
ふんわり食パンにサンドした、みんなの好きな一品。
辛子バターの風味がアクセントです。

材料／2人分
食パン（12枚切り） 8枚
卵サラダ
　卵　4個
　きゅうりのピクルス　6本
　塩、こしょう　各適量
　マヨネーズ　大さじ6
辛子バター　大さじ5〜6
☑ 辛子バター　p.12参照。

1　卵サラダを作る。卵はかたゆでにし、殻をむいて黄身と白身に分け、それぞれみじん切りにする。ピクルスもみじん切りにする。
2　1をボウルに入れ、塩、こしょう、マヨネーズを加えて混ぜ合わせる。
3　パンは2枚1組にし、片面に辛子バターをぬり、2をのせてはさむ。
4　ラップで包んで少し落ち着かせ、耳を切り落として切り分ける。パセリ（分量外）を添える。

ゆで卵は黄身と白身に分け、それぞれみじん切りにする。分けた方が白身をみじん切りにしやすい。

ゆで卵の黄身と白身、ピクルスをボウルに入れ、塩、こしょう、マヨネーズで調味。

卵サラダを食パンの上にのせ、広げて平らにならす。卵サラダが耳のところまでくるようにする。

スクランブルエッグサンド

12

フワッとやさしい口当たりの卵サンドです。
卵には牛乳を加え、強火で手早く混ぜて半熟状にし、
すぐに火からおろすのがポイント。牛乳の代わりに生クリームを使っても。

材料／2人分
食パン（8枚切り）　8枚
スクランブルエッグ
　卵　4個
　塩　小さじ2/3
　こしょう　少々
　牛乳　大さじ1
　バター　大さじ2
マヨネーズ　大さじ5

1　スクランブルエッグを作る。ボウルに卵を割りほぐし、塩、こしょう、牛乳を加えて混ぜる。
2　フライパンにバターを溶かし、**1**をいっきに流し入れて強火でかき混ぜ、半熟状になったらすぐに火からおろす。
3　パンは2枚1組にし、片面にマヨネーズをぬり、**2**をのせてはさむ。
4　手で軽く押さえてなじませ、耳を切り落として切り分ける。

13 チーズサンド

チーズだけをはさんだシンプルなサンドイッチ。
2種類のチーズとパンを使って、それぞれのおいしさを楽しみます。
どちらも辛子マヨネーズがよく合います。

材料／2人分
食パン（12枚切り）　4枚
食パン（12枚切り・黒）　4枚
辛子マヨネーズ　大さじ4
スライスチーズ　4枚
チェダースライスチーズ　4枚
◎食パン（12枚切り・黒）は、できればキャラウェイシード入り。
◎辛子マヨネーズ　p.12参照。

1　パンは白・黒それぞれ2枚1組にし、片面に辛子マヨネーズをぬる。
2　白いパンにはスライスチーズを2枚重ねてのせ、黒いパンにはチェダースライスチーズを2枚重ねてのせてはさむ。
3　手で軽く押さえてなじませ、耳を切り落として切り分ける。

14 ハムサンド

玉ねぎマリネとピクルスを加えた特製ハムサンド。
甘酸っぱい玉ねぎとハムの相性はぴったりです。

材料／2人分
食パン（12枚切り）　4枚
ロースハム（薄切り）　4枚
辛子バター　大さじ2
玉ねぎマリネ
　玉ねぎ　1/2個
　酢　小さじ1
　オリーブオイル　大さじ1
　塩、こしょう　各少々
きゅうりのピクルス　6本
☑ 辛子バター　p.12参照。

1　玉ねぎマリネを作る。玉ねぎは繊維に沿って薄切りにし、塩少々（分量外）をふって水気を絞る。酢、オリーブオイル、塩、こしょうを加えて混ぜ、しばらくおく。
2　ピクルスは斜め薄切りにする。
3　パンは2枚1組にして片面に辛子バターをぬり、ハムをおく。1、2の順にのせ、さらにハムをのせてはさむ。
4　手で軽く押さえてなじませ、切り分ける。

玉ねぎマリネは作りおきOK。サンドイッチに添えてもよい。

 →  →  →  →

15 ハムステーキサンド

厚切りハムと厚切り玉ねぎを焼いて
パンにはさんだ、ボリュームおかずサンド。
玉ねぎの甘さがおいしさを盛り上げます。

材料／2人分
食パン（6枚切り） 4枚
ロースハム 1cm厚さのもの2枚
玉ねぎ 1cm厚さの輪切り2枚
オリーブオイル 適量
塩、こしょう 各少々
粒マスタードマヨネーズ
　大さじ4
※粒マスタードマヨネーズ p.12参照。

1 フライパンにオリーブオイルを熱し、玉ねぎを入れ、甘い香りがして香ばしくなるまで両面焼く。塩、こしょうをしてとり出す。
2 1のフライパンにハムを入れて両面焼き、軽く塩、こしょうをふる。
3 パンは2枚ずつ重ねてトーストし、焼けていない面に粒マスタードマヨネーズをぬる。ハムステーキ、玉ねぎの順にのせてはさむ。クレソン（分量外）を添える。

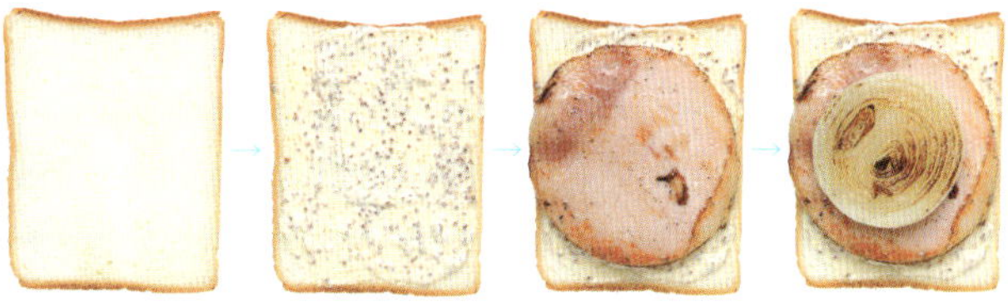

16 ハムカツサンド

ハムは2枚重ねにして厚みを出すのがポイント。
サクサクッとした衣と
シャキシャキキャベツで、軽い食べ心地です。

材料／2人分
食パン（8枚切り）　4枚
ハムカツ
　ロースハム（薄切り）　4枚
　小麦粉、溶き卵、パン粉
　　各適量
　揚げ油　適量
キャベツ　2枚
ソース
　中濃ソース　大さじ2
　トマトケチャップ　小さじ1
辛子バター　大さじ3

※辛子バター　p.12 参照。

1　ハムカツを作る。ハムは2枚ずつ重ね、小麦粉、溶き卵、パン粉の順に衣をつける。
2　揚げ油を170℃に熱して**1**を入れ、ときどきひっくり返しながらきつね色に揚げる。
3　キャベツはせん切りにして水に放し、ザルにあげて水気を拭く。ソースの材料は混ぜ合わせる。
4　パンは2枚1組にし、片面に辛子バターをぬる。キャベツ、ハムカツの順にのせ、ソースをかけてはさむ。
5　手で押さえてなじませ、切り分ける。

小麦粉、溶き卵、パン粉をまんべんなくまぶす。揚げたときにはがれないよう、しっかりと。

17 コンビーフサンド

シャキシャキ野菜とコンビーフの組み合わせは絶妙。
ここではきゅうりを使いましたが、レタス、サラダ菜でも。
辛子マヨネーズで味をしめます。

材料／2人分
食パン（12枚切り） 4枚
コンビーフ 80g
きゅうり 1本
辛子マヨネーズ 大さじ4
辛子マヨネーズ p.12参照。

1　コンビーフはほぐす。きゅうりは食パンの長さに合わせて切り、縦3mm厚さに切る。
2　パンは2枚1組にし、片面に辛子マヨネーズをぬる。きゅうりを少しずらしながら並べ、コンビーフをのせてはさむ。
3　ラップに包んで少し落ち着かせ、耳を切り落として切り分ける。

18 タラモサラダサンド

たらことじゃが芋、玉ねぎで作ったタラモサラダを
フィリングにしたサンドイッチは、年代を問わない人気。
薄切り食パンのほか、バゲットや黒パンを使っても。

材料／2人分
食パン（12枚切り） 8枚
タラモサラダ
　たらこ　大1腹
　レモン汁　小さじ2
　オリーブオイル　大さじ2
　じゃが芋　2個
　玉ねぎ　1/4個
　サワークリーム　大さじ2
　マヨネーズ　大さじ4
　塩、こしょう　各少々
バター　適量

1 タラモサラダを作る。たらこは薄皮から身をこそげ出し、レモン汁、オリーブオイルを混ぜる。
2 じゃが芋は皮つきのまま水からゆで、熱いうちに皮をむいてつぶす。玉ねぎはみじん切りにして塩少々（分量外）で軽くもみ、水にさらし、水気をしっかりと絞る。
3 ボウルに**1**、**2**、サワークリーム、マヨネーズを入れて混ぜ合わせ、塩、こしょうで味を調える。
4 パンは2枚1組にし、片面にバターをぬり、**3**を厚めにぬってはさむ。ラップで包んで少し落ち着かせ、耳を切り落として切り分ける。

19 ツナサンド

ツナと玉ねぎをマヨネーズであえた、人気の定番。
玉ねぎは塩でもんで水にさらす、
このひと手間でおいしさがアップします。

材料／2人分
食パン（12枚切り）　4枚
ツナ（缶詰）　小1缶
玉ねぎ　¼個
マヨネーズ　大さじ3
塩、こしょう　各少々
辛子バター　大さじ2
☑ 辛子バター　p.12参照。

1　ツナは油をきる。玉ねぎはみじん切りにして塩少々（分量外）でもみ、水にさらし、水気をしっかりと絞る。
2　ボウルにツナを入れてほぐし、玉ねぎを加え、マヨネーズ、塩、こしょうで調味する。
3　パンは2枚1組にし、片面に辛子バターをぬり、2をぬってはさむ。ラップで包んで少し落ち着かせ、耳を切り落として切り分ける。きゅうりのピクルス（分量外）を添える。

和風ツナサンド

ツナの味つけはマヨネーズとしょうゆ。焼きのりの風味がアクセント。辛子バターの代わりにわさびバターを使っても。

材料／2人分
食パン（12枚切り）　4枚
ツナ（缶詰）　小1缶
マヨネーズ　大さじ3
しょうゆ　小さじ½
きゅうり　1本
焼きのり　10cm四方のものを2枚
辛子バター　大さじ2
※辛子バター　p.12参照。

1　ツナはほぐし、マヨネーズ、しょうゆを加えて混ぜる。
2　きゅうりは半分の長さに切って縦2mm厚さに切る。
3　パンは2枚1組にし、片面に辛子バターをぬり、焼きのり、きゅうり、ツナの順にのせてはさむ。ラップで包んで少し落ち着かせ、耳を切り落として切り分ける。

かまぼこサンド

かまぼこ、青じそ、セロリ、きゅうりをサンドした和風サンドイッチです。かまぼこの代わりにちくわを使っても。

材料／2人分
食パン（12枚切り）　4枚
かまぼこ　5mm厚さのもの8枚
セロリ　¼本
きゅうり　½本
青じそ　8枚
和風マヨネーズ
　おろしわさび　小さじ1
　マヨネーズ　大さじ3
　しょうゆ　少々

1　セロリは斜め薄切りにして塩少々（分量外）をふり、水気を絞る。きゅうりは半分の長さに切って薄切りにする。
2　パンは2枚1組にし、片面に和風マヨネーズの材料を混ぜ合わせてぬり、青じそ、きゅうり、セロリ、かまぼこの順にのせてはさむ。ラップで包んで少し落ち着かせ、耳を切り落として切り分ける。

22 きんぴらサンド

れんこんとごぼうのきんぴらを
焼きのりとともにフィリングに。
雑穀入り食パンでヘルシー度アップ！

材料／2人分
雑穀入り食パン（8枚切り）　4枚
きんぴら
　ごぼう　½本
　れんこん　5cm
　ごま油　大さじ1
　赤唐辛子の小口切り　少々
　酒　大さじ2
　しょうゆ　大さじ2
　みりん　大さじ2
　黒炒りごま　大さじ1
焼きのり　10cm四方のものを2枚
バター　適量

1　きんぴらを作る。ごぼうは皮をこそげて細切りにし、れんこんは薄いいちょう切りにする。
2　フライパンにごま油を熱して**1**と赤唐辛子を炒め、酒、しょうゆ、みりんで調味し、汁気がなくなるまで炒め煮にする。仕上げにごまを混ぜる。
3　パンはトーストして2枚1組にし、片面にバターをぬり、焼きのりをおいて**2**をのせて、はさむ。
4　ラップで包んで少し落ち着かせ、切り分ける。

ポテトサラダサンド

自家製ポテトサラダをはさんだサンドイッチの
おいしさはピカイチ。じゃが芋はホクホクに蒸し、
オリーブオイル、酢、塩、こしょうで
味をつけておくのがおいしさの秘密です。

材料／2人分
コッペパン　2個
ポテトサラダ（作りやすい分量）
　じゃが芋　大2個
　オリーブオイル　大さじ1
　酢　小さじ1
　塩、こしょう　各少々
　玉ねぎ　¼個
　きゅうり　1本
　ロースハム（薄切り）　2枚
　マヨネーズ　大さじ4
辛子バター　大さじ1
☑ 辛子バター　p.12参照。

じゃが芋は皮つきのまま蒸し器で蒸す。ゆでるよりホクホク感が出る。

蒸したじゃが芋をつぶし、オリーブオイル、酢、塩、こしょうを混ぜる。ここで味をなじませておくのがポイント。

玉ねぎ、きゅうり、ハムを加え、マヨネーズも入れて混ぜ合わせる。

1　ポテトサラダを作る。じゃが芋は皮ごと蒸し器に入れ、竹串がスーッと通るまで蒸し、熱いうちに皮をむいてボウルに入れ、つぶす。オリーブオイル、酢、塩、こしょうを加えて味をつける。

2　玉ねぎときゅうりは薄切りにし、それぞれ塩少々（分量外）をふってもみ、水気を絞る。ハムは1cm角に切る。

3　1のボウルに2を入れ、マヨネーズを加えて混ぜ合わせる。

4　コッペパンは厚みを半分に切り、切り口に辛子バターをぬり、ポテトサラダをたっぷりとはさむ。

24 サモササラダサンド

インドのポピュラーな料理「サモサ」の中身をサラダ仕立てにし、片面だけカリッと焼いたパンでサンドイッチにします。クミンとカレー粉の香りが鼻をくすぐる一品。

材料／2人分
食パン（8枚切り）　4枚
サモササラダ
　じゃが芋　2個
　オリーブオイル　大さじ1
　サラダ油　大さじ2
　クミンシード　小さじ2
　玉ねぎのみじん切り　小½個分
　しょうがのみじん切り　1かけ分
　グリンピース（缶詰）　20g
　クミンパウダー　小さじ½
　カレー粉　小さじ1
　塩、こしょう　各適量
　カシューナッツ（ローストしたもの）
　　のみじん切り　大さじ2
　マヨネーズ　大さじ2
バター　適量

1　サモササラダを作る。じゃが芋は皮ごと蒸し器で蒸し、熱いうちに皮をむいてボウルに入れ、つぶす。塩、こしょう各少々、オリーブオイルを加えて混ぜる。
2　フライパンにサラダ油を熱してクミンシードを炒め、香りが出たら玉ねぎ、しょうが、グリンピースを加え、クミンパウダー、カレー粉をふってさっと炒める。塩、こしょうで味を調える。
3　2を1に混ぜ、カシューナッツ、マヨネーズを加えてあえる。
4　パンは2枚重ねにしてトーストし、焼けていない面にバターをぬり、3のサモササラダをのせ、はさむ。手で軽く押さえてなじませ、耳を切り落として切り分ける。

クミンシードをサラダ油で炒めて香りを出す。この香りの移った油で炒めるのがポイント。

25 マカロニサラダサンド

ゆで卵入りの特製マカロニサラダを
たっぷりはさんだサンドイッチ。
手作りマヨネーズでリッチな味わい。

材料／2人分
食パン（12枚切り・黒）　4枚
マカロニサラダ
　マカロニ　100g
　玉ねぎ　¼個
　きゅうり　1本
　ロースハム（薄切り）　2枚
　ゆで卵　1個
　塩、こしょう　各少々
　オリーブオイル　小さじ1
　手作りマヨネーズ　100g
バター　適量

▫ 食パン（12枚切り・黒）は、できればキャラウェイシード入り。
▫ 手作りマヨネーズ　p.13参照。

1 マカロニサラダを作る。マカロニは塩少々（分量外）を加えた湯でゆで、ザルに上げる。

2 玉ねぎときゅうりは薄切りにし、それぞれ塩少々（分量外）をふってもみ、水気を絞る。ハムは1cm角に切り、ゆで卵は粗みじん切りにする。

3 1をボウルに入れて2を加え、塩、こしょう、オリーブオイルを混ぜ、マヨネーズを加えてあえる。

4 パンは2枚1組にし、片面にバターをぬり、マカロニサラダをのせてはさむ。ラップで包んで少し落ち着かせ、耳を切り落として切り分ける。

26 ナポリタンドッグ

ちょっぴり懐かしい味わいのサンドイッチ。
炒めた具にケチャップ味をつけ、そのあと
スパゲッティを加えると、おいしいナポリタンに！

材料／2人分
ドッグパン　2本
スパゲッティ・ナポリタン
　スパゲッティ　80g
　ベーコン（かたまり）　20g
　玉ねぎ　¼個
　ピーマン　½個
　サラダ油　少々
　塩、こしょう　各少々
　トマトケチャップ　大さじ3
　バター　小さじ1
辛子バター　小さじ1
☑ 辛子バター　p.12参照。

1　スパゲッティ・ナポリタンを作る。スパゲッティは塩少々（分量外）を加えた湯で表示通りにゆで、ザルに上げる。

2　ベーコンは1cm幅に切る。玉ねぎはくし形に切り、ピーマンは種をとって1cm幅に切る。

3　フライパンにサラダ油を熱して2を炒め、塩、こしょう、トマトケチャップを加えてさらに炒める。1を加えて炒め合わせ、バターを入れてからめる。

4　ドッグパンの上面に切り目を入れ、切り口に辛子バターを薄くぬり、3をたっぷりとはさむ。

27 焼きそばパン

肉は豚バラ薄切り肉、キャベツはたっぷり。
青のりの風味がプーンと漂う
昔ながらのソース焼きそばをドッグパンにはさみます。

材料／2人分
ドッグパン　2本
ソース焼きそば
　豚バラ薄切り肉　60g
　キャベツ　大1枚
　サラダ油　少々
　中華蒸し麺　½袋
　ウスターソース　大さじ1
　中濃ソース　小さじ2
　塩、こしょう　各少々
辛子バター　適量
青のり、紅しょうが　各適量
☑ 辛子バター　p.12参照。

1 ソース焼きそばを作る。豚肉は1cm幅に切り、キャベツは3cm角くらいのざく切りにする。

2 フライパンにサラダ油を熱して**1**を炒め、中華蒸し麺を加え、湯大さじ1（分量外）をふって麺をほぐす。ウスターソース、中濃ソースを加えて全体に炒め合わせ、軽く塩、こしょうをする。

3 ドッグパンの上面に切り目を入れ、切り口に辛子バターを薄くぬり、**2**をたっぷりとはさむ。青のりをふり、紅しょうがを添える。

ポテトチップスサンド

ポテトチップスをはさんだだけの、超クイックレシピ。
ポテトチップスは、サワークリームオニオン味を使用し、
少ししなっとしたところを頬張るのがおいしい！

材料／2人分
食パン（12枚切り）　4枚
ポテトチップス
　（サワークリームオニオン味）　40g
マヨネーズ　大さじ3〜4

1　パンは2枚1組にし、片面にマヨネーズをぬる。
2　ポテトチップスをたっぷりとのせてはさみ、手で軽く押さえてなじませ、切り分ける。

クレソンだけサンド

いつも脇役になりがちなクレソンを堂々と使った、ヘルシーサンド。
クレソンのほろ苦さとにんにくマヨネーズの風味が絶妙。

材料／2人分
クルミ入り山型食パン（8枚切り）
　4枚
クレソン　1束
にんにくマヨネーズ　大さじ4
※にんにくマヨネーズ　p.12参照。

1　クレソンは洗ってしっかりと水気を拭き、かたい茎の部分は切り落とす。
2　パンは2枚1組にし、片面ににんにくマヨネーズをぬり、クレソンをのせてはさむ。
3　手で軽く押さえてなじませ、切り分ける。

アスパラガスだけサンド

30

缶詰を使ったお手軽サンド。
独特のうまみとやわらかい口当たりもさることながら、
整列したホワイトアスパラガスの丸い断面が可愛らしい。

材料／2人分
食パン（12枚切り）　4枚
ホワイトアスパラガス（缶詰）　1缶
辛子マヨネーズ　大さじ4
・辛子マヨネーズ　p.12参照。

1　ホワイトアスパラガスはペーパータオルなどで水気をしっかりと拭く。
2　食パンは2枚1組にし、片面に辛子マヨネーズをぬり、**1**を並べてはさむ。
3　手で軽く押さえてなじませ、耳を切り落として切り分ける。

31 レタスだけサンド

シャキシャキのレタスを使った、
フレッシュ感たっぷりのシンプルサンド。
ドレッシングであえてからはさむのがポイントです。

材料／2人分
食パン（12枚切り）　4枚
レタス　6枚
フレンチドレッシング
　にんにくのすりおろし　少々
　玉ねぎのみじん切り　大さじ1
　フレンチマスタード　小さじ½
　白ワインビネガー　小さじ2
　塩　小さじ½
　こしょう　少々
　オリーブオイル　大さじ2
バター　適量

1　レタスは洗って水気をきり、ペーパータオルでしっかりと水気を拭きとり、大きめにちぎる。
2　ボウルにオリーブオイル以外のフレンチドレッシングの材料を入れて混ぜ合わせ、オリーブオイルを加えてさらによく混ぜる。
3　レタスを 2 に加えてあえる。
4　食パンは2枚1組にし、片面にバターをぬり、3 をのせてはさむ。手で軽く押さえてなじませ、耳を切り落として切り分ける。

32 きゅうりだけサンド

食感、食べやすさなどを考え、
きゅうりは縦薄切りにして並べます。
マスタードを効かせて仕上げるのがコツ。

材料／2人分
食パン（12枚切り）　4枚
食パン（12枚切り・黒）　4枚
きゅうり　2本
オリーブオイル　大さじ1
白ワインビネガー　大さじ1
辛子マヨネーズ　大さじ6〜7
☑ 食パン（12枚切り・黒）は、できればキャラウェイシード入り。
☑ 辛子マヨネーズ　p.12参照。

1　きゅうりはパンの長さに合わせて切り、縦薄切りにする。
2　オリーブオイルと白ワインビネガーは混ぜておく。
3　食パンは白・黒それぞれ2枚1組にし、片面に辛子マヨネーズをぬり、きゅうりをすき間なく並べて2をかけ、はさむ。
4　ラップで包んで少し落ち着かせ、耳を切り落として切り分ける。

33 にんじんだけサンド

せん切りにんじんをドレッシングであえたサラダを
黒パンにたっぷりとサンド。
食事パンとしてだけでなく、ワインのおともにも。

材料／2人分
食パン（12枚切り・黒）　4枚
にんじんサラダ（作りやすい分量）
　にんじん　2本
　フレンチマスタード　小さじ½
　塩、こしょう　各少々
　赤ワインビネガー　小さじ2
　オリーブオイル　大さじ2
辛子バター　大さじ2

- 食パン（12枚切り・黒）は、できればキャラウェイシード入り。
- 辛子バター　p.12参照。

1　にんじんサラダを作る。にんじんはせん切りにして塩少々（分量外）でもみ、水気を絞る。
2　ボウルにフレンチマスタード、塩、こしょう、赤ワインビネガーを入れて混ぜ、オリーブオイルを加えて混ぜ合わせる。
3　にんじんを**2**に加えてあえる。
4　食パンは2枚1組にし、片面に辛子バターをぬり、**3**をのせてはさむ。ラップで包んで少し落ち着かせ、耳を切り落として切り分ける。

34 ミックスサラダサンド

コールスロー、トマト、きゅうり、玉ねぎを
コッペパンにはさみます。野菜がモリモリ食べられます。

材料／2人分

コッペパン　2個
コールスロー　2/3カップ
トマト　1個
きゅうり　1本
玉ねぎ　1/4個
辛子マヨネーズ　大さじ2
マヨネーズ　適量

☑ コールスロー　p.103参照。
☑ 辛子マヨネーズ　p.12参照。

1 トマトは5mm厚さの半目切りにし、きゅうりは斜め薄切りにする。玉ねぎは薄切りにして塩水にさらし、水気を絞る。

2 コッペパンは厚みを半分に切り、切り口に辛子マヨネーズをぬる。コールスローをたっぷりとのせ、トマトときゅうりを少しずらしながら交互に並べる。玉ねぎをのせ、マヨネーズをかけてはさむ。

35 えび&アボカドサンド

みんなの好きな人気の組み合わせ。
ほんのり酸味があって風味豊かなパン・ド・カンパーニュを使い、
マヨネーズベースの特製ソースで仕上げます。

材料／2人分
パン・ド・カンパーニュ（薄切り）
　2枚
えび（無頭・殻つき）　4〜5尾
えびの下味
　オリーブオイル、レモン汁
　　各少々
　塩、こしょう　各少々
アボカド　½個
レモン汁　少々
トマト　½個
辛子バター　大さじ2
ソース
　マヨネーズ　大さじ4
　ウスターソース　小さじ½
　トマトケチャップ　小さじ½
　タバスコ　少々
　ブランデー（あれば）　少々
　辛子バター　p.12参照。

1　えびは殻つきのまま背わたをとり、白ワイン少々とレモンの薄切り1枚（各分量外）を加えた湯でゆでる。殻をむいて厚みを半分に切り、下味の材料をまぶす。
2　アボカドは種をとって皮をむき、5mm厚さに切り、レモン汁をかけておく。トマトも5mm厚さに切る。
3　ソースの材料は混ぜ合わせる。
4　パンは半分に切って2枚重ねにしてトーストし、焼けていない面に辛子バターをぬる。トマトをのせ、アボカドを少しずらしながら並べる。えびをのせ、ソースをかけてはさむ。手で軽く押さえてなじませる。

36 かに＆アボカドサンド

かに缶、アボカドで作ったペーストと
ゆで卵をはさんだサンドイッチは、
クリーミーでリッチな味わい。
パンは、しっとりとした生地のサブマリンを使います。

材料／2人分
サブマリン（1cm厚さ）　8枚
かに（缶詰）　100g
アボカド　1個
玉ねぎ　¼個
ゆで卵　1個
レモン汁　小さじ1
フレンチマスタード　小さじ1
オリーブオイル　大さじ2
マヨネーズ　大さじ2
塩　少々
サラダ菜　4枚
バター　大さじ3〜4

1 かにはほぐす。玉ねぎはみじん切りにして塩水につけ、もみ洗いしてしっかりと水気を絞る。ゆで卵は輪切りにする。

2 アボカドは種をとって皮をむき、ボウルに入れ、レモン汁をかけてつぶす。

3 2にかに、玉ねぎ、フレンチマスタード、オリーブオイル、マヨネーズを加えて混ぜ、塩で味を調える。

4 パンは2枚1組にし、片面にバターをぬり、サラダ菜をおいて3をたっぷりとのせる。ゆで卵の輪切りを2枚ずつのせてはさむ。手で軽く押さえてなじませる。

玉ねぎは塩水につけ、もみ洗いして水気を絞る。これで玉ねぎの辛さがやわらぐ。

アボカドはレモン汁を加えてフォークでつぶす。レモン汁を加えると変色が防げる。

アボカド、かに、玉ねぎ、オリーブオイル、マヨネーズを混ぜ合わせる。

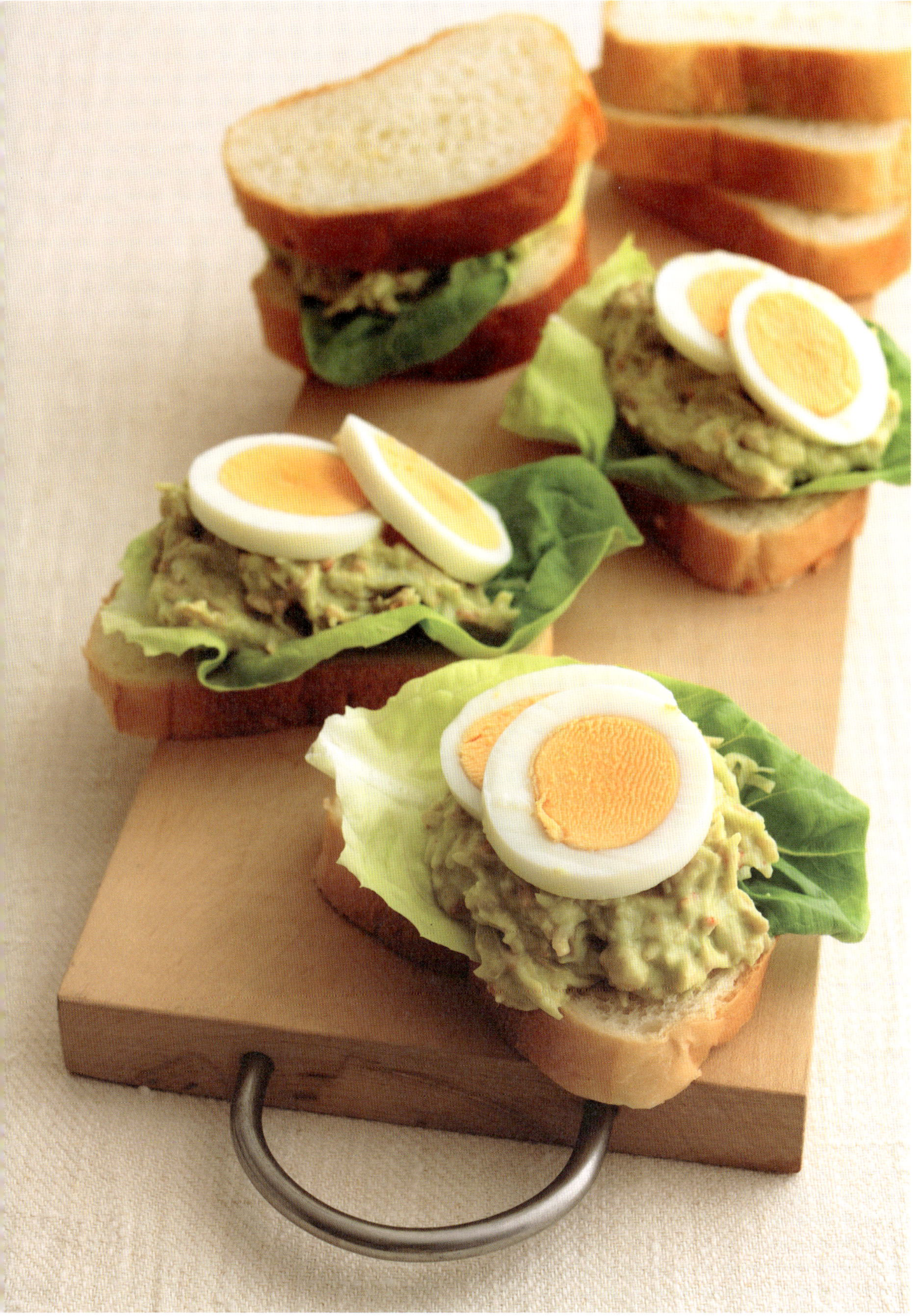

37

B.L.T. サンド

Bはベーコン、Lはレタス、Tはトマト。
このトリオのおいしさは不滅！ ベーコンはカリッと焼き、
レタスはシャキシャキ感を楽しむためにせん切りにします。

材料／2人分
山型食パン（8枚切り） 4枚
レタス 4枚
トマト 小1個
ベーコン（厚切り） 2枚
辛子マヨネーズ 大さじ3
☑ 辛子マヨネーズ p.12参照。

1 レタスはせん切りにして水に放し、シャキッとしたらザルに上げて水気をきり、さらにペーパータオルで水気を拭きとる。

2 トマトは5mm厚さの輪切りにする。

3 ベーコンはフライパンでカリッとするまで焼き、ペーパータオルの上にとり出して脂をきる。

4 パンは2枚重ねにしてトーストし、焼けていない面に辛子マヨネーズをぬる。レタス、トマト、ベーコンの順にのせてはさむ。

5 手で軽く押さえてなじませ、切り分ける。ポテトチップス（分量外）を添える。

レタスはせん切りにして水に放し、ペーパータオルで水気を拭く。使うまでこのままおいておく。

ベーコンはカリッと焼き、ペーパータオルの上において脂をきる。

パンは2枚重ねにしてトーストする。表面はカリッとするが、合わさった面はふっくら。

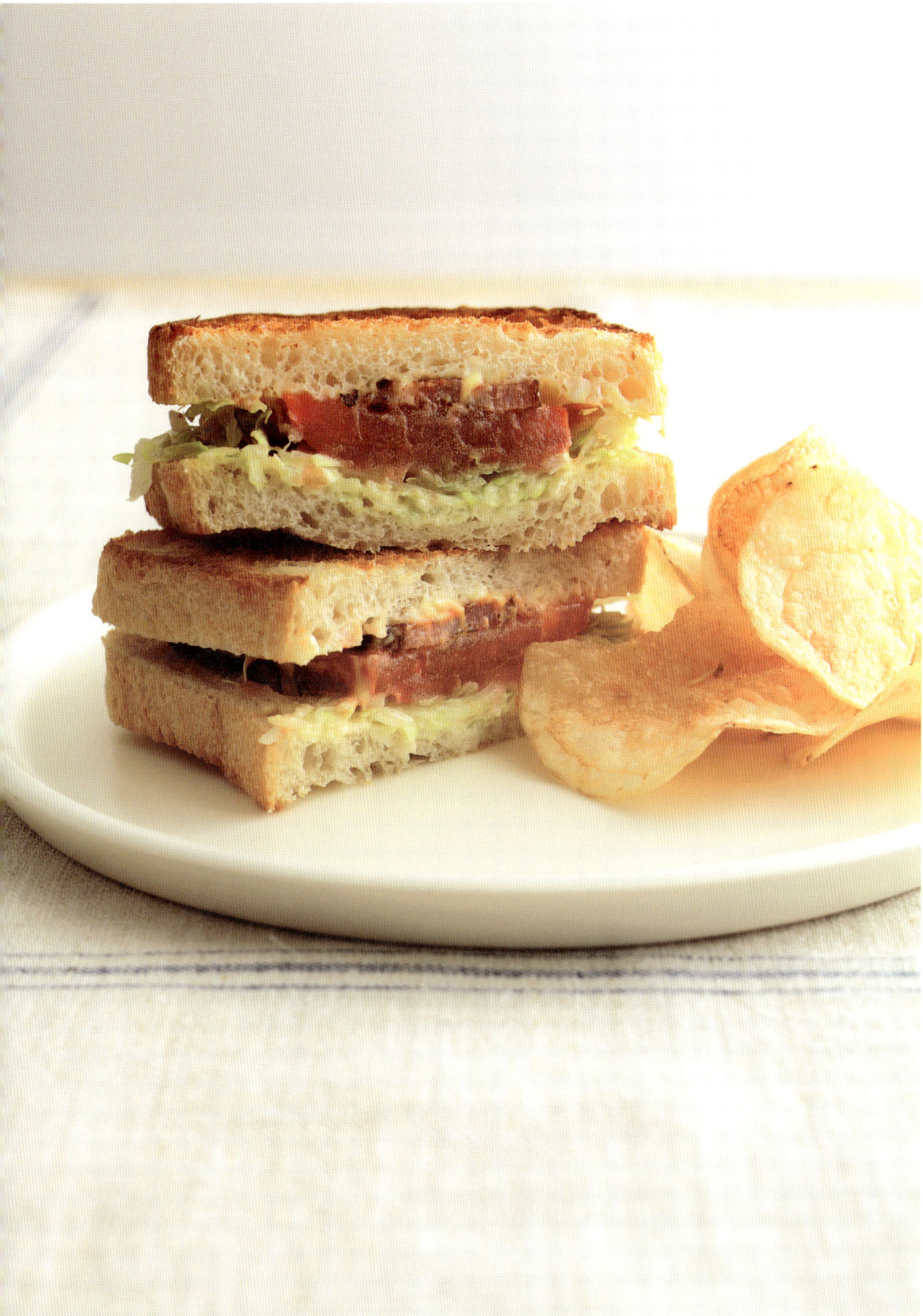

クラブハウスサンド

38

香ばしく焼いた鶏肉、クリスピーなベーコン、
両面焼きの目玉焼き、フレッシュなトマト……。
トーストしたパン3枚を使った
ボリュームたっぷりが魅力のアメリカンタイプです。

材料／2人分

- 食パン（12枚切り） 6枚
- ベーコン（厚切り） 2枚
- 鶏もも肉 1枚
- 塩、こしょう 各少々
- 卵 2個
- トマト 1/2個
- グリーンカールまたはサニーレタス 2～3枚
- オリーブオイル 少々
- サラダ油 少々
- 辛子バター 適量
- マヨネーズ、トマトケチャップ 各適量

☑ 辛子バター p.12 参照。

1 フライパンにベーコンを入れて火にかけ、カリッと焼き、とり出す。

2 鶏肉は塩、こしょうをふる。1のフライパンをきれいにしてオリーブオイルを熱し、鶏肉の皮目を下にして入れる。ペーパータオルで脂を拭きながら両面焼き、ふたをして中まで火を通す。とり出してそぎ切りにする。

3 2のフライパンをきれいにしてサラダ油を熱し、卵を割り入れる。少ししたら卵黄をつぶしてひっくり返し、両面焼きの目玉焼きにする。

4 トマトは5mm厚さに切る。グリーンカールは大きければちぎり、水に放し、水気を拭く。

5 パンはトーストし、3枚1組にし、片面に辛子バターをぬる。

6 1枚目のパンにグリーンカール、ベーコン、目玉焼きの順にのせる。2枚目の辛子バターをぬっていない面にマヨネーズをぬって目玉焼きの上に重ね、上になった辛子バター面にトマトケチャップをぬる。鶏肉、トマトの順にのせ、3枚目の辛子バターをぬった面にマヨネーズをぬって重ねる。

7 しっかりと押さえてなじませ、切り分ける。ポテトフライ（分量外）を添える。

ベーコンは両面カリッと焼く。ボリューム感を出したいので、厚切りのベーコンを使用。

鶏肉はまずは皮目を下にして焼き、出てきた脂をペーパータオルでとり除き、カリッとさせる。

焼いた鶏肉はそぎ切りにして同じ厚さにする。フィリングは同じ厚さにするのが鉄則。

目玉焼きはヘラの先などで卵黄をつついてつぶし、両面焼いて平らな目玉焼きを作る。

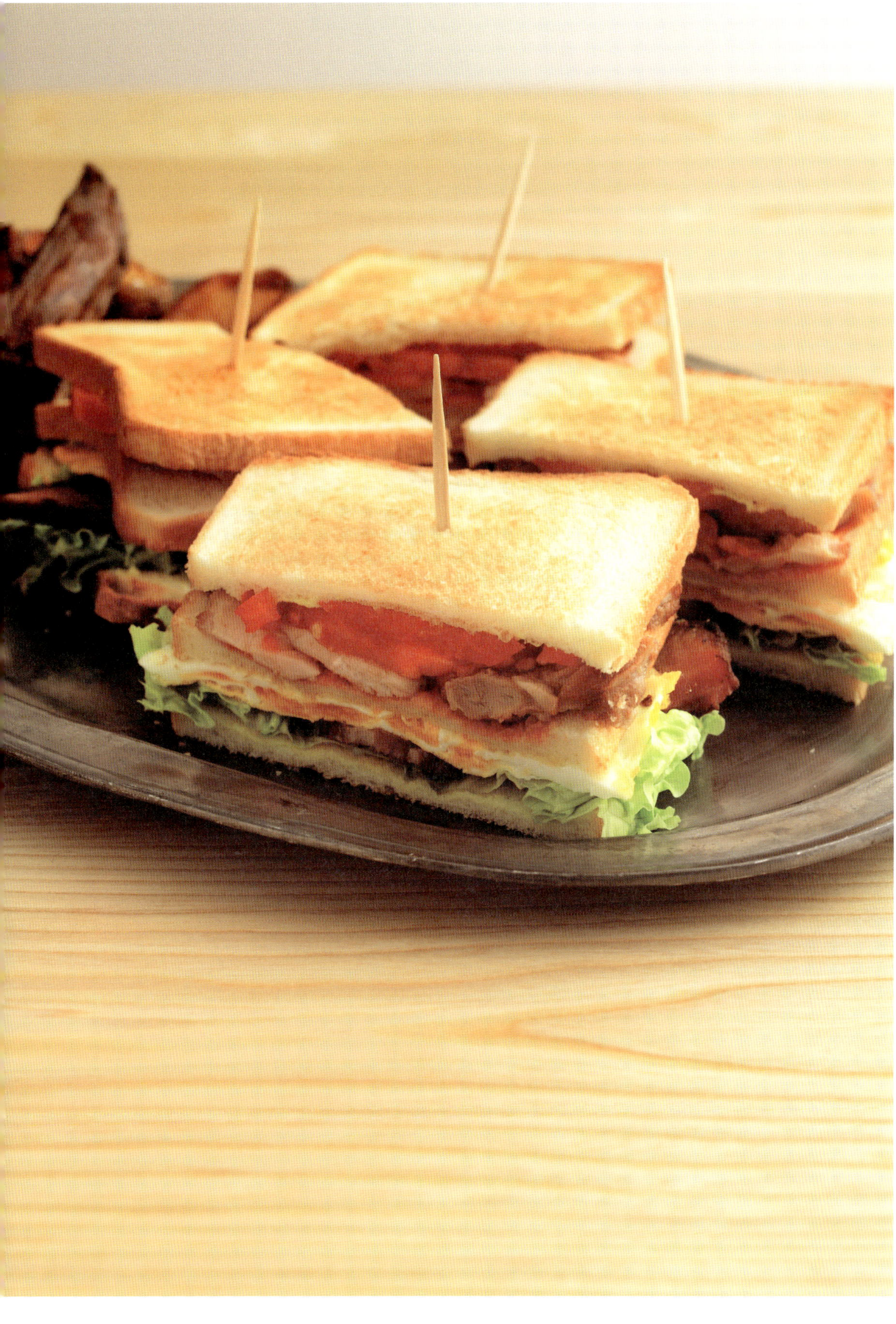

39 クロックムッシュ

ハムとチーズ、ベシャメルソースを組み合わせた
フランスを代表するパンレシピです。
クロックムッシュは"カリッとした紳士"という意味で、
まわりはカリッ、中はしっとりがおいしい！

材料／2人分
食パン（6枚切り）　4枚
ロースハム（薄切り）　2枚
グリュイエールチーズ　50g
ベシャメルソース
　バター　大さじ2
　小麦粉（ふるったもの）　大さじ2
　牛乳　1カップ
　塩　小さじ1/3
　こしょう、ナツメグ　各少々

1 ベシャメルソースを作る。鍋にバターを溶かし、泡立ってきたら、小麦粉を加えて炒める。牛乳を少しずつ加えてその都度なめらかになるまで混ぜていく。とろみが出たら塩、こしょう、ナツメグで味を調える。バットに広げて冷ます。

2 パンは2枚1組にする。ベシャメルソースを薄くぬり、ハム、グリュイエールチーズ少々の順にのせ、もう1枚のパンを重ねる。パンの上面にベシャメルソースをぬり、残りのグリュイエールチーズをのせる。

3 オーブントースターに入れ、チーズが溶けて焼き色がつくまで焼く。

バターが泡立ってきたら、ふるった小麦粉を加えて炒める。

牛乳を少し加え、なめらかになるまで混ぜる。これを繰り返してベシャメルソースを作る。

ベシャメルソースはバットなどに広げて冷ます。時間のあるときに作っておいてもよい。

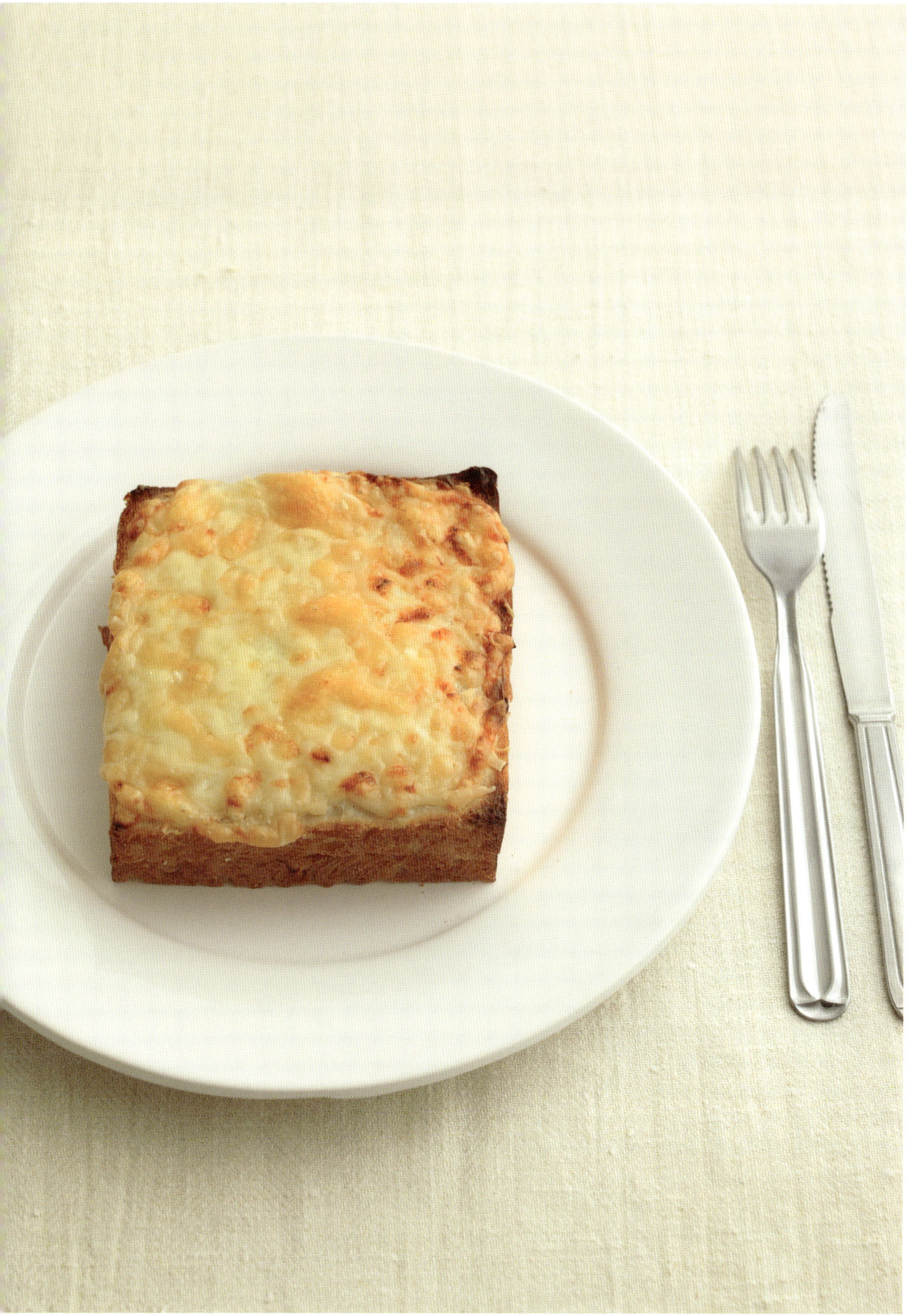

40 クロックマダム

クロックムッシュに目玉焼きを加えたのがクロックマダム。
焼くとサクッとする、目の粗い山型パンで作ります。

材料／2人分
山型食パン（8枚切り） 4枚
ロースハム（薄切り） 2枚
グリュイエールチーズ 50ｇ
ベシャメルソース 約1カップ
卵 2個
サラダ油 少々
粗びき黒こしょう 適量
☑ ベシャメルソース p.46参照。

1 パンは2枚1組にする。ベシャメルソースを薄くぬり、ハム、グリュイエールチーズ少々の順にのせ、もう1枚のパンを重ねる。パンの上面に残りのベシャメルソースをぬり、残りのグリュイエールチーズをのせる。
2 オーブントースターに入れ、チーズが溶けて焼き色がつくまで焼く。
3 フライパンにサラダ油を熱し、卵を割り落とし、半熟に焼く。
4 3を2の上におき、粗びき黒こしょうをふる。

41 生ハム＆ラディッシュサンド

塩気のある生ハム、ほのかに辛さのあるラディッシュは
絶妙の組み合わせ。
レモンバターでワンランク上のおいしさに。

材料／2人分
パン・ド・ロデブ（薄切り）　2枚
生ハム　50g
ラディッシュ　4個
レモンバター（作りやすい分量）
　バター　40g
　レモン汁　小さじ1
　レモンの皮のすりおろし
　　1/2個分

1　レモンバターを作る。バターは室温でやわらかくし、レモン汁とレモンの皮を混ぜる。
2　生ハムは適当な大きさにちぎる。ラディッシュは薄切りにして水に放し、水気を拭く。
3　パンは半分に切って2枚1組にし、片面にレモンバターをぬり、生ハム、ラディッシュの順にのせてはさむ。手で軽く押さえてなじませ、切り分ける。

レモン汁とレモンの皮のすりおろしを加えた、さわやかな香りのレモンバター。

42 オイルサーディンのオープンサンド

パン・ド・カンパーニュで作ったガーリックトーストに
アツアツのオイルサーディンをのせた、オードブル的な一品。
ジューシーで甘い焼きトマトも魅力です。

材料／2人分
パン・ド・カンパーニュ（薄切り）
　2枚
オイルサーディン　1缶
塩、粗びき黒こしょう　各少々
トマト　小1個
にんにく　½片
オリーブオイル　適量
ソース
　マヨネーズ　大さじ3
　粒マスタード　小さじ1
　牛乳　小さじ1
　塩　少々
松の実（ローストしたもの）　大さじ1
イタリアンパセリみじん切り
　少々

1　フライパンにオリーブオイル大さじ1を熱し、オイルサーディンを焼いて塩、粗びき黒こしょうをし、とり出す。
2　1のフライパンをきれいにし、トマトを厚めの輪切りにして入れる。両面焼いて、軽く塩をする。
3　パンは片面ににんにくの切り口をこすりつけて香りを移し、オリーブオイルをぬって軽くトーストする。
4　ソースの材料は混ぜ合わせる。
5　3にトマト、オイルサーディンの順にのせ、ソースをかける。松の実、イタリアンパセリ、粗びき黒こしょうをふる。

43 トマトのブルスケッタ

カリッと焼いたバゲットに、冷たいトマトをのせたイタリアンレシピ。
オリーブオイルをたっぷりとぬってトーストし、仕上げにもたらり。
バジルの香りがアクセントです。

材料／2人分
バゲット（細くて短めのもの）　1本
完熟トマト　1個
オリーブオイル　適量
塩　小さじ½
バジル　4〜5枚
にんにく　½片

1　トマトはざく切りにしてボウルに入れ、オリーブオイル大さじ1、塩を加えてざっくりと混ぜ、バジルをちぎって混ぜる。
2　バゲットは縦半分に切り、切った面ににんにくの切り口をこすりつけて香りを移す。オリーブオイル適量をぬってトーストする。
3　**2**に**1**をたっぷりとのせ、オリーブオイル少々をかける。好みで塩少々（分量外）をふる。

ローストビーフサンド

44

薄切りのローストビーフを数枚重ね、
クレソンとともにはさんだ、定番のサンドイッチ。
白いテーブルクロスがかかった洋食屋さんの味です。

材料／2人分
食パン（8枚切り）　4枚
ローストビーフ（市販）　6枚
クレソン　½束
紫玉ねぎ　¼個
レモンバター（作りやすい分量）
　バター　40g
　レモン汁　小さじ1
　レモンの皮のすりおろし
　　½個分
ソース
　卵黄　1個分
　マヨネーズ　大さじ4
　フレンチマスタード　小さじ1
　塩、こしょう　各少々
　ウスターソース　小さじ½

1　クレソンは洗って水に放し、水気を拭く。紫玉ねぎは薄切りにして水に放し、水気を拭く。
2　レモンバターを作る。バターは室温でやわらかくし、レモン汁とレモンの皮を混ぜる。
3　ソースを作る。ボウルに卵黄、マヨネーズ、フレンチマスタード、塩、こしょうを合わせ、ウスターソースを加えて混ぜ合わせる。
4　パンは2枚1組にし、片面にレモンバターをぬる。ソース適量をぬってクレソンをたっぷりとおき、ローストビーフを3枚ずつのせる。紫玉ねぎをのせ、さらにソース少々をかけ、はさむ。
5　手で押さえてなじませ、耳を切り落として切り分ける。

45 ビーフステーキサンド

上手に焼いたステーキは、サンドイッチにしてもおいしい。
玉ねぎとマッシュルームで作るバターじょうゆソテーで
ワンランク上の味わいに。

材料／2人分
食パン（6枚切り）　4枚
牛ヒレ肉またはサーロイン（ステーキ用）
　1枚
塩、こしょう　各少々
サラダ油、バター　各小さじ1
**玉ねぎときのこの
　バターじょうゆソテー**
　玉ねぎ　½個
　マッシュルーム　5個
　塩　少々
　バター　大さじ2
　しょうゆ　小さじ2
辛子バター　大さじ2
サラダ菜　2〜3枚
＊辛子バター　p.12参照。

1　牛肉は焼く30分ほど前に冷蔵庫から出し、塩、こしょうをふる。
2　フライパンにサラダ油とバターを熱し、1を入れて焼く。焼き色がついたらひっくり返し、好みの焼き加減に仕上げ、とり出す。
3　玉ねぎときのこのバターじょうゆソテーを作る。玉ねぎは繊維に逆らって1cm幅に切り、マッシュルームは石づきをとって5mm厚さの薄切りにする。2のフライパンに入れて炒め、塩をふり、しんなりしたらバターとしょうゆを加えて味をからめる。
4　パンは耳を切り落として軽くトーストし、2枚1組にし、片面に辛子バターをぬる。サラダ菜を敷いてステーキをのせ、3をのせてはさむ。手で軽く押さえてなじませ、切り分ける。

46 ビーフカツサンド

ローストビーフ、ビーフステーキと並んで
ぜひ作ってみたいのが、ビーフカツのサンドイッチ。
粒マスタードとデミグラスソースで味わい本格派！

材料／2人分
食パン（6枚切り）　4枚
牛ヒレ肉またはランプ肉（ステーキ用）
　2枚
塩、こしょう　各適量
衣
　小麦粉、溶き卵、パン粉
　　各適量
揚げ油　適量
ソース
　赤ワイン　½カップ
　デミグラスソース（缶詰）　½缶
　トマトケチャップ　大さじ1
　塩、こしょう　各少々
バター、粒マスタード　各適量

1　牛肉は揚げる30分ほど前に冷蔵庫から出し、塩、こしょうをふる。

2　衣のパン粉はビニール袋などに入れ、上からめん棒を転がして細かくする。1の牛肉に小麦粉、溶き卵、パン粉の順に衣をつける。

3　揚げ油を180℃に熱し、2を入れ、ときどき返しながらきつね色になるまで揚げる。

4　ソースを作る。鍋に赤ワインを入れて半量になるまで煮詰め、デミグラスソース、トマトケチャップを加えて煮立て、塩、こしょうで味を調える。

5　パンは耳を切り落としてトーストし、2枚1組にする。片面にバターをぬり、重ねて粒マスタードをぬる。3を4のソースにくぐらせてのせ、はさむ。

6　手で軽く押さえてなじませ、切り分ける。ピクルス（分量外）を添える。

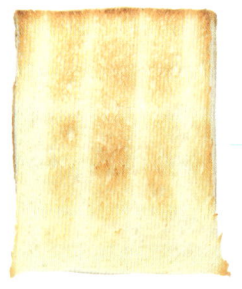

パン粉はビニール袋などに入れ、めん棒を転がして細かくする。レストラン風の仕上がりになる。

牛肉は揚げる30分前に常温にし、塩、こしょうをふる。冷蔵庫から出してすぐに揚げると火の通りが悪い。

180℃の揚げ油で揚げていく。きつね色になってカラリとしたら油をきって引き上げる。

ソースは、赤ワインを入れて半量になるまで煮詰め、デミグラスソース、トマトケチャップ、塩、こしょうを加えて作る。

55

トンカツサンド

47

永遠のおかず・トンカツをトーストサンドにします。
トンカツは中温からじっくりと揚げて
サクッと仕上げるのがポイント。
アツアツを頬張れば、この上ないおいしさ！

材料／2人分
食パン（6枚切り） 4枚
豚ロース肉 2枚
塩、こしょう 各適量
衣
　小麦粉、溶き卵、パン粉
　　各適量
揚げ油 適量
キャベツ 2枚
ソース
　トンカツソース 大さじ3
　トマトケチャップ 大さじ1
　辛子 小さじ1
辛子バター 大さじ2
※辛子バター p.12参照。

1　キャベツは細切りにして水に放し、ザルに上げて水気をきり、さらにペーパータオルで水気をしっかりときる。
2　豚肉は筋切りをして塩、こしょうをし、小麦粉、溶き卵、パン粉の順に衣をつける。
3　揚げ油を170℃に熱し、**2**を入れ、徐々に温度を上げながらゆっくりと揚げていく。最後に強火にし、カラリと揚げる。
4　ソースの材料は混ぜておく。
5　パンは耳を切り落としてトーストし、2枚1組にする。片面に辛子バターをぬる。キャベツをたっぷりとのせ、**3**をのせてソースをかけてはさむ。
6　手で軽く押さえてなじませ、切り分ける。

豚肉は筋切りをする。こうしておくと揚げても肉が縮まない。

小麦粉、溶き卵、パン粉の順に衣をつける。小麦粉は全体にまぶしつけ、余分な粉をはたき落とすとよい。

最後に高温にし、カラリと揚げる。油をきって引き上げる。

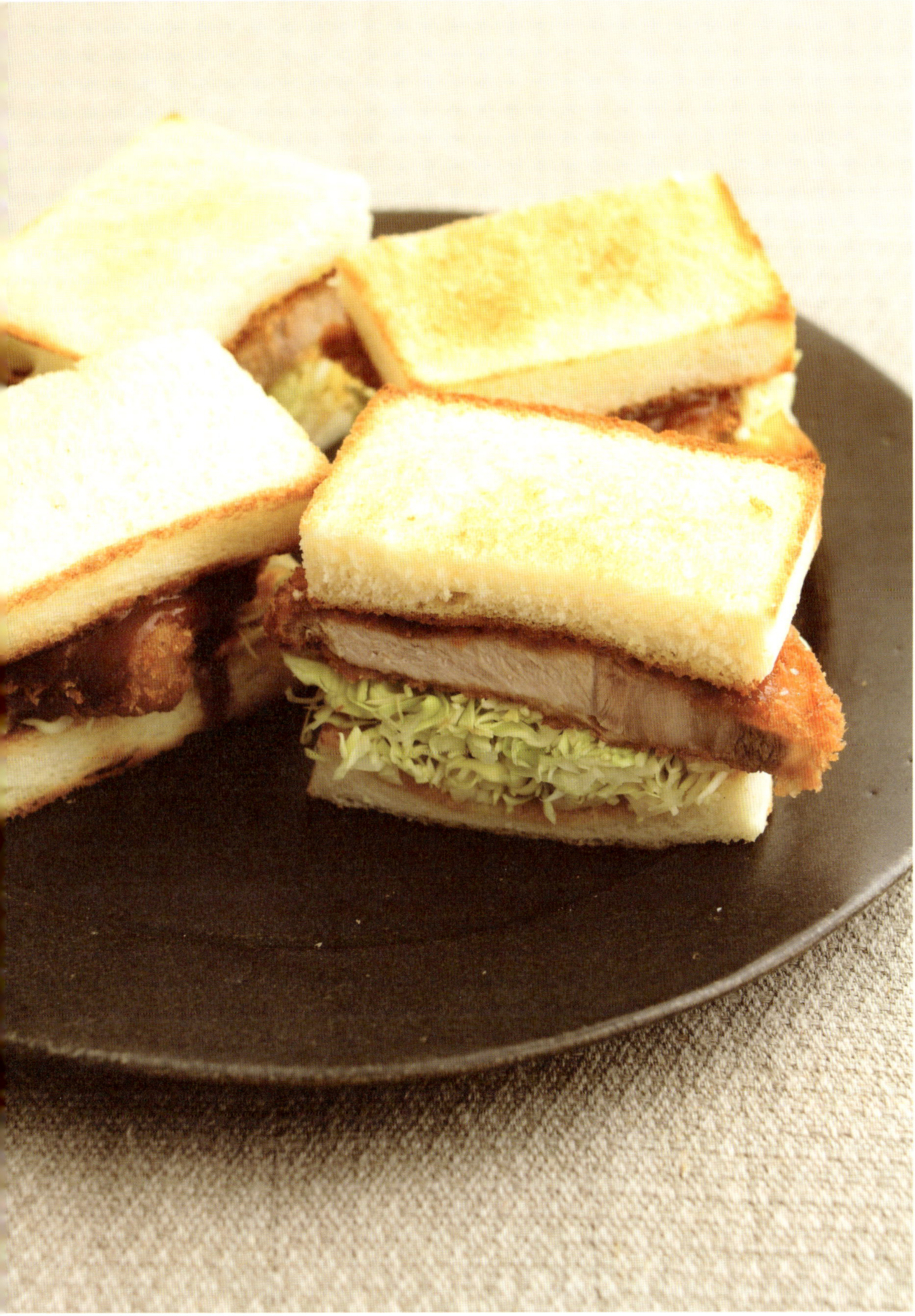

48 ポーク、野菜＆目玉焼きサンド

ゆでた豚肉をソースマリネにし、
シャキシャキ野菜とアツアツ目玉焼きを
組み合わせた、ボリュームのあるひと皿。
いろいろな味が融合したおいしさはサンドイッチならでは。

材料／2人分
食パン（12枚切り）　6枚
ポークのソースマリネ
　豚こま切れ肉　200g
　玉ねぎ　1/2個
　ウスターソース　大さじ3
　トマトケチャップ　大さじ3
　しょうゆ　少々
　サラダ油　大さじ1 1/2
卵　2個
サラダ油　少々
レタス　2〜3枚
トマト　1/2個
きゅうり　1本
バター　適量
マヨネーズ　適量
トマトケチャップ　適量

1　ポークのソースマリネを作る。豚肉はさっとゆで、水気をきる。玉ねぎは繊維に逆らって5mm幅に切る。

2　ボウルにウスターソース、トマトケチャップ、しょうゆ、サラダ油を合わせ、1を加えて味をなじませる。

3　フライパンにサラダ油を熱し、卵を割り入れる。少ししたら卵黄をつぶして、ひっくり返し、両面焼きの目玉焼きを作る。

4　レタスはちぎって水に放し、水気を拭く。トマトは薄切りにする。きゅうりは半分の長さに切って縦薄切りにする。

5　パンは軽くトーストし、3枚1組にする。1枚目にバターをぬり、レタスを敷いてポークのソースマリネをのせる。2枚目のパンにマヨネーズをぬり、ぬった面を下にして重ねる。上の面にトマトケチャップとマヨネーズをぬり、きゅうり、トマト、目玉焼きの順にのせる。3枚目のパンにトマトケチャップをぬり、ぬった面を下にして重ねる。

6　手で押さえてなじませ、耳を切り落として切り分ける。

豚肉は色が変わる程度にさっとゆで、ザルなどに上げて水気をきる。

ウスターソース、トマトケチャップ、しょうゆ、サラダ油を合わせてマリネのソースを作る。

ゆでた豚肉と玉ねぎをソースにからめ、味をなじませる。ウスターソースが入っているのでほんのりスパイシー。

59

49 チキン南蛮サンド

おなじみチキン南蛮のサンドイッチバージョン。
甘酢とタルタルソースの組み合わせが絶妙です。

材料／2人分
食パン（8枚切り）　4枚
鶏もも肉　1枚
塩、こしょう　各少々
衣
　小麦粉、溶き卵、パン粉
　　各適量
揚げ油　適量
甘酢
　酢、しょうゆ　各大さじ2
　砂糖、水　各大さじ1
タルタルソース
　ゆで卵のみじん切り　1個分
　玉ねぎのみじん切り　1/4個分
　きゅうりのピクルスの
　　みじん切り　3本分
　パセリのみじん切り　小さじ1
　マヨネーズ　大さじ3
　ウスターソース　小さじ1/2
　塩、こしょう　各少々
キャベツのせん切り　2枚分
辛子バター　大さじ2
　辛子バター　p.12 参照。

1　タルタルソースの材料は混ぜ合わせる。
2　鶏肉は均一の厚さになるように、厚いところはそぐようにして開く。皮目にフォークで数ヶ所穴をあけ、塩、こしょうをし、小麦粉、溶き卵、パン粉の順に衣をつける。
3　揚げ油を170℃に熱し、2を入れ、きつね色にカラリと揚げる。甘酢の材料を混ぜ合わせ、さっとくぐらせる。
4　パンは2枚1組にし、片面に辛子バターをぬる。キャベツを敷いて3をのせ、タルタルソースをのせてはさむ。手で押さえてなじませ、切り分ける。

50 カレー・ド・チキンサンド

蒸し鶏をカレー風味のヨーグルトマヨネーズであえたものが
カレー・ド・チキン。
カリッとトーストした食パンがよく合います。

材料／2人分
食パン（8枚切り） 4枚
鶏胸肉 1枚
白ワイン 大さじ2
マヨネーズ 大さじ2
プレーンヨーグルト 大さじ1
カレー粉 小さじ1
塩、こしょう 各適量
レタスのせん切り 2枚分
バター 適量

1 鶏肉は均一の厚さになるように、厚いところはそぐようにして開き、軽く塩、こしょうをふる。耐熱皿にのせて白ワインをふりかけ、蒸し器に入れ、蒸気の立った状態で10〜15分蒸す。粗熱をとり、粗くほぐす。

2 ボウルにマヨネーズ、ヨーグルト、カレー粉を合わせ、塩、こしょうで味を調え、1を加えてあえる。

3 パンは半分に切ってトーストし、2枚1組にし、片面にバターをぬる。レタスをたっぷりとのせ、2をのせてはさむ。手で軽く押さえてなじませる。

中国風照り焼きチキンサンド

しょうゆ、はちみつ、八角、五香粉(ウーシャンフェン)などで下味をつけ、
オーブンでカリッと焼き上げたチキンが主役。
北京ダック風の味わいに、思わず舌鼓!

51

材料／2人分
- ピタパン(厚いタイプ) 2個
- 鶏もも肉 1枚
- 漬け込みだれ
  - 酒 大さじ1
  - しょうゆ 大さじ1
  - はちみつ 大さじ1
  - サラダ油 大さじ1/2
  - 五香粉 小さじ1/2
  - 八角 1〜2個
  - にんにくのすりおろし 小1片分
  - しょうがのすりおろし 小1かけ分
- サニーレタス 2枚
- きゅうりの斜め薄切り 1/2本分
- 長ねぎの斜め薄切り 5cm分
- 甜麺醤(テンメンジャン) 大さじ1

※五香粉 ういきょう、桂皮、花椒、陳皮(みかんの皮を乾燥させたもの)、丁字(クローブ)などの粉末を混ぜ合わせたもの。
※八角 中国スパイスのひとつ。8つに分かれたさやの形からこの名があり、加熱すると独特の強い香りがする。

1 鶏肉は均一の厚さになるように、厚いところはそぐようにして開き、皮目にフォークで数ヶ所穴をあける。

2 バットなどに漬け込みだれの材料を合わせ、**1**を入れて30分ほどおく。

3 天パンに網を敷いて、**2**をのせ、170℃のオーブンで20分ほど焼く。途中残ったたれを刷毛でぬり、こんがりと焼き上げる。とり出してそぎ切りにする。

4 ピタパンは半分に切り、中のポケットにちぎったサニーレタスときゅうりをはさみ、甜麺醤をつけた**3**、長ねぎを詰める。

チャーシューサンド

すっきりとした甘さの自家製チャーシューが美味！
長ねぎ＆香菜（シャンツァイ）のごま油あえを、
たっぷりはさんでいただきます。

材料／2人分
食パン（12枚切り）　4枚
チャーシュー（作りやすい分量）
　豚肩ロースかたまり肉
　　（チャーシュー用）　500ｇ
　しょうが　1かけ
　にんにく　1片
　水　適量
　酒　大さじ4
　しょうゆ　大さじ4
　砂糖　小さじ2
長ねぎ　1/4本
香菜　1束
ごま油　小さじ1
塩　少々
レタス　2枚
辛子バター　大さじ2
＊辛子バター　p.12参照。

1　チャーシューを作る。鍋に豚肉、つぶしたしょうがとにんにくを入れ、水をひたひたに加えてふたをし、火にかける。煮立ったら弱火にして50分〜1時間煮る。ふたをとって火を強め、煮汁が少なくなるまでさらに40〜50分煮詰める。

2　汁気がほぼなくなったら酒を加えて鍋の焼き焦げをこそげるようにし、しょうゆと砂糖を合わせて豚肉にかけ、転がしながら味をからめる。

3　長ねぎは斜め薄切りにし、香菜は1〜2㎝長さに切り、ボウルに合わせ、ごま油、塩を加えてあえる。

4　パンは2枚1組にし、片面に辛子バターをぬり、レタスをちぎってのせる。チャーシューを5㎜厚さに切って2〜3枚のせ、**3**をのせてはさむ。手で軽く押さえてなじませ、切り分ける。

しょうゆと砂糖を合わせて豚肉にからめながら、照りよく仕上げる。

53 メンチカツサンド

玉ねぎとマッシュルームのうまみを生かし、
牛肉100%で作る上等なメンチカツが主役。
生地に味をつけてから揚げるので、潔くソースをかけずに仕上げ、
メンチカツのおいしさを堪能します。

材料／2人分
食パン（6枚切り） 4枚
メンチカツ（作りやすい分量・4個分）
　牛ひき肉　300g
　玉ねぎ　1/4個
　マッシュルーム　6個
　オリーブオイル　少々
　水　大さじ1
　溶き卵　1/2個分
　塩、こしょう　各少々
　ナツメグ　少々
　ウスターソース　小さじ1
　トマトケチャップ　小さじ1
衣
　小麦粉、溶き卵、生パン粉
　　各適量
揚げ油　適量
キャベツ　3枚
辛子バター　大さじ2
※辛子バター　p.12参照。

1　メンチカツを作る。玉ねぎとマッシュルームはみじん切りにし、オリーブオイルでよく炒め、冷ます。

2　ボウルに1以外の材料を入れて練り合わせ、1を加えてさらに練り、4等分にして丸く形作る。

3　小麦粉、溶き卵、生パン粉の順に衣をつける。

4　揚げ油を170℃に熱し、3を入れ、徐々に温度を上げながらゆっくりと揚げていく。最後に強火にし、カラリと揚げる。

5　キャベツはせん切りにして水に放し、ザルに上げて水気をきり、さらにペーパータオルで水気をしっかりときる。

6　パンは2枚1組にし、片面に辛子バターをぬる。キャベツをたっぷりとのせ、4を1個ずつのせてはさむ。手で軽く押さえてなじませ、切り分ける。

玉ねぎとマッシュルームはオリーブオイルでじっくりと炒めて甘みとうまみを出し、バットなどに移して冷ましておく。

牛ひき肉は水、溶き卵、塩、こしょう、ナツメグのほか、ウスターソースとトマトケチャップを入れて混ぜる。

しっかりと練り合わせたら、パンの大きさに合わせて丸く形を整える。

中温の油に入れてゆっくりと揚げていく。初めから高温だと衣だけ色がつきすぎ、中がまだ半生ということも。

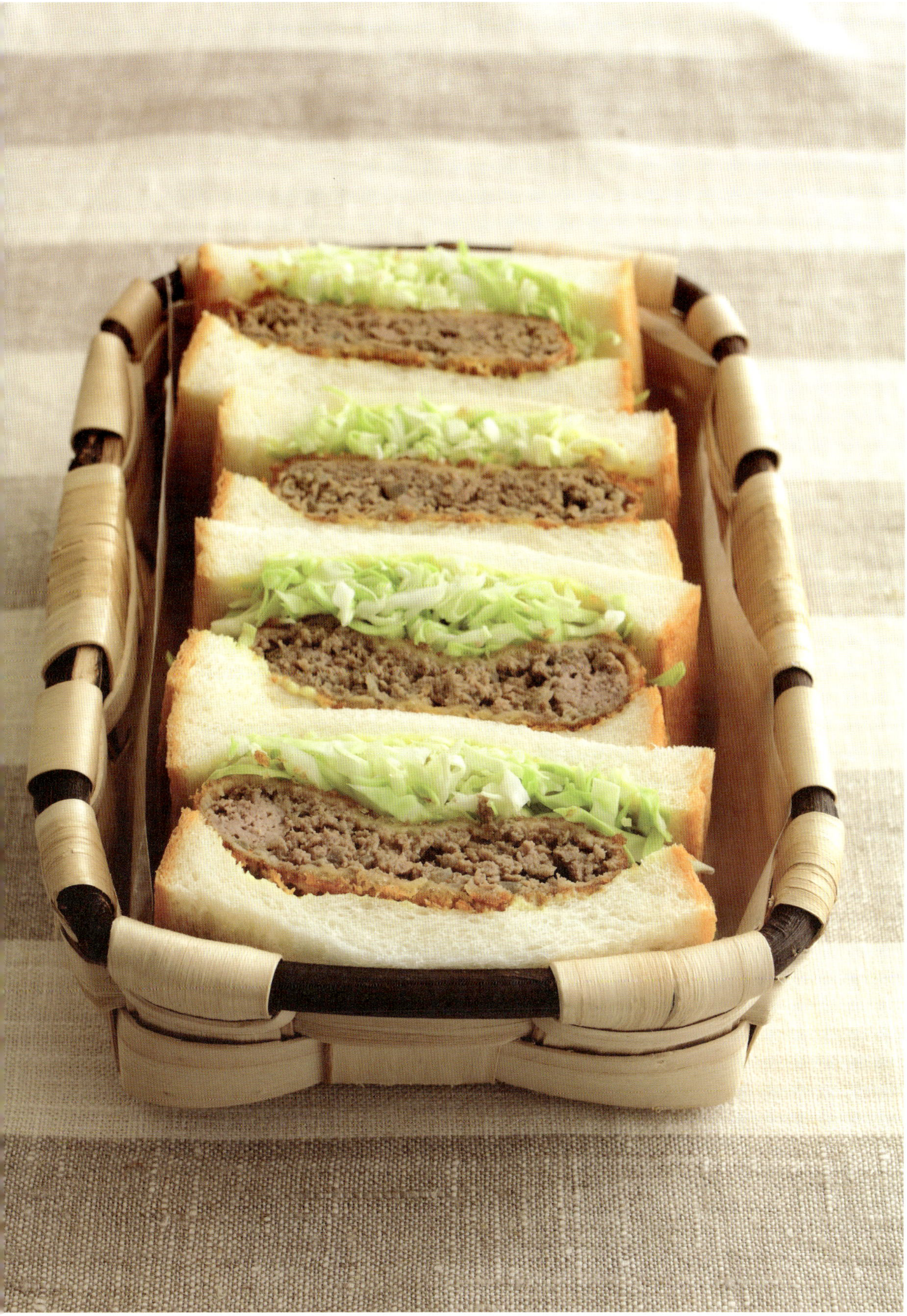

コロッケサンド

54

蒸したホクホクのじゃが芋に玉ねぎやひき肉を加えた
手作りコロッケのおいしさはピカイチ。
そんな自慢のコロッケで、定番のおかずサンドを作ります。
ちょっぴり懐かしいコッペパンを使います。

材料／2人分
コッペパン　2個
コロッケ（作りやすい分量・4個分）
　じゃが芋　大2個
　玉ねぎのみじん切り　1/4個分
　合いびき肉　80g
　サラダ油　小さじ1
　塩、こしょう　各適量
　ナツメグ　少々
　バター　小さじ1
　生クリーム　大さじ1
衣
　小麦粉、溶き卵、パン粉
　　各適量
揚げ油　適量
辛子バター　適量
キャベツ　1〜2枚
ソース
　とんかつソース　大さじ2
　トマトケチャップ　大さじ2
　フレンチマスタード　小さじ1/2
パセリ　少々
※辛子バター　p.12参照。

1　コロッケを作る。フライパンにサラダ油を熱して玉ねぎを炒め、しんなりしたら合いびき肉を加えてさらに炒め、塩小さじ1/3、こしょう少々、ナツメグをふる。
2　じゃが芋は皮ごと蒸し器に入れ、竹串がスーッと通るまで蒸し、熱いうちに皮をむいてボウルに入れ、つぶす。軽く塩、こしょうをし、バターと生クリームを混ぜる。
3　**2**に**1**を加えて混ぜ合わせ、バットに広げて粗熱をとる。4等分にして楕円形に整え、小麦粉、溶き卵、パン粉の順に衣をつける。

4　揚げ油を180℃に熱し、**3**を入れ、きつね色にカラリと揚げる。
5　キャベツはせん切りにして水に放し、ザルに上げて水気をきり、さらにペーパータオルで水気をしっかりときる。
6　コッペパンは厚みの半分に切れ目を入れ、切り口に辛子バターをぬる。キャベツのせん切りを入れ、コロッケを半分に切ってはさむ。ソースの材料を混ぜ合わせてかけ、パセリを添える。

じゃが芋は熱いうちにつぶす。マッシャーを使うと手軽だが、なければすりこ木などで。

塩、こしょうをし、バターと生クリームを加えてなめらかに仕上げる。

炒めたひき肉と玉ねぎを混ぜ合わせ、バットに広げて粗熱をとる。これがコロッケの生地。

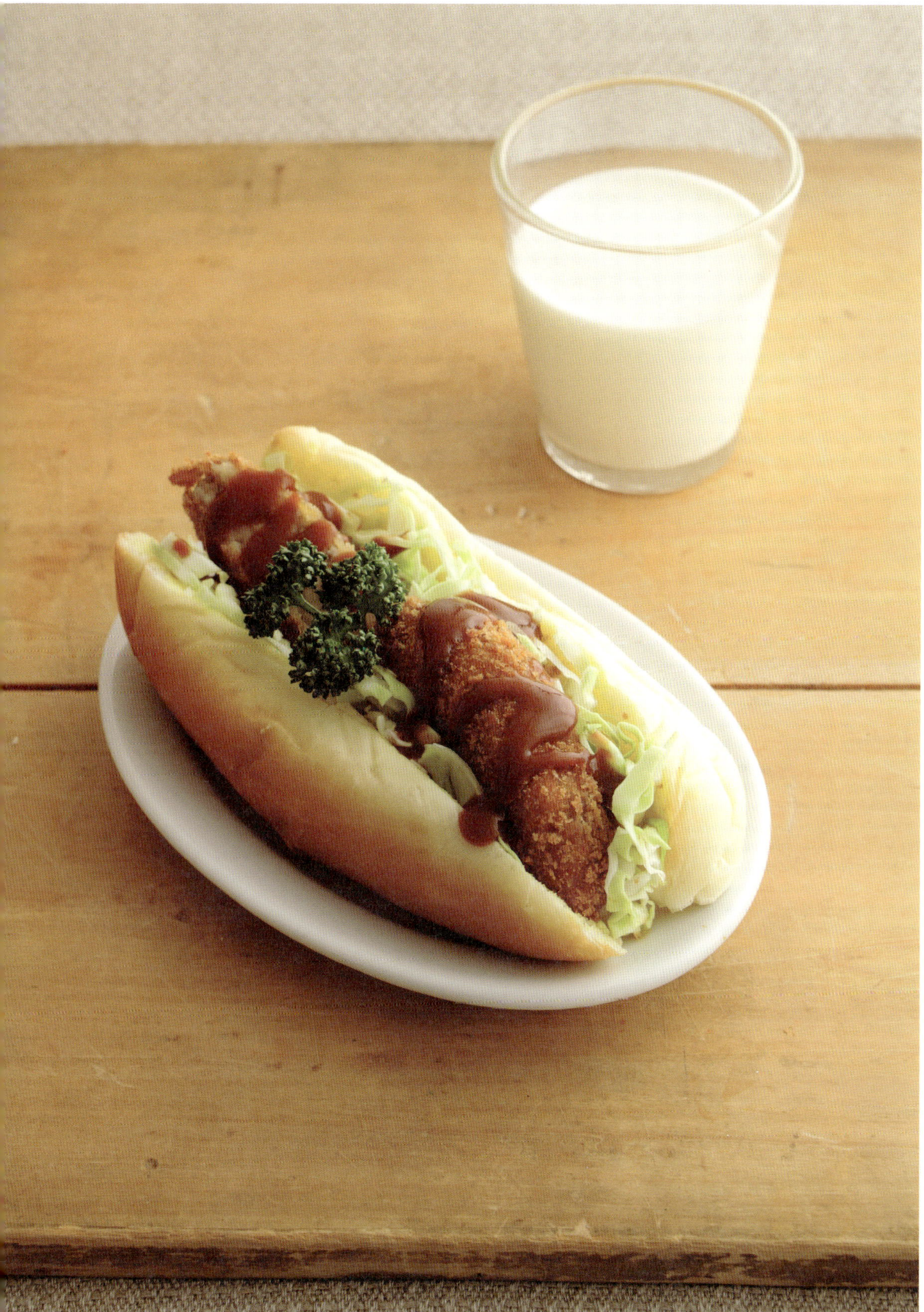

55 えびカツサンド

ひと口頬張れば、衣はサクッ、中はプリプリ！
えびは、たたいたものと粗みじんにしたものの
両方を混ぜるのがコツ。
えびフライよりボリュームが出て、食べごたえがあります。

材料／2人分
食パン（6枚切り）　4枚
むきえび　150g
塩　小さじ¼
こしょう　少々
卵白　大さじ1
片栗粉　大さじ1
玉ねぎのみじん切り　⅙個分
衣
　小麦粉、溶き卵、パン粉　各適量
揚げ油　適量
タルタルソース
　ゆで卵のみじん切り　1個分
　玉ねぎのみじん切り　¼個分
　きゅうりのピクルスの
　　みじん切り　3本分
　マヨネーズ　大さじ3
　ウスターソース　小さじ½
　塩、こしょう　各少々
レタス　2枚
バター　適量

1　タルタルソースの材料は混ぜ合わせる。

2　むきえびは120gを包丁でたたき、残り30gは粗みじん切りにする。

3　2のたたいたえびをボウルに入れ、塩、こしょう、卵白、片栗粉、玉ねぎを加えて練るようにして混ぜ合わせ、みじん切りのえびを加えて混ぜる。2等分にして丸く形作り、小麦粉、溶き卵、パン粉の順に衣をつける。

4　揚げ油を170℃に熱し、3を入れ、徐々に温度を上げながらゆっくりと揚げていく。最後に強火にし、カラリと揚げる。

5　レタスはせん切りにして水に放し、ザルに上げて水気をきり、さらにペーパータオルで水気をしっかりときる。

6　パンは2枚1組にし、片面にバターをぬる。レタスをたっぷりとのせ、4とタルタルソースをのせてはさむ。手で軽く押さえてなじませ、耳を切り落として切り分ける。

えびカツの生地は、たたいたえび、粗みじんにしたえび両方を使う。つなぎは卵白と片栗粉。

パンの大きさに合わせて丸く形を整える。これに小麦粉、溶き卵、パン粉をつける。

中温の油に入れ、きつね色になるまで、ときどきひっくり返しながら揚げていく。

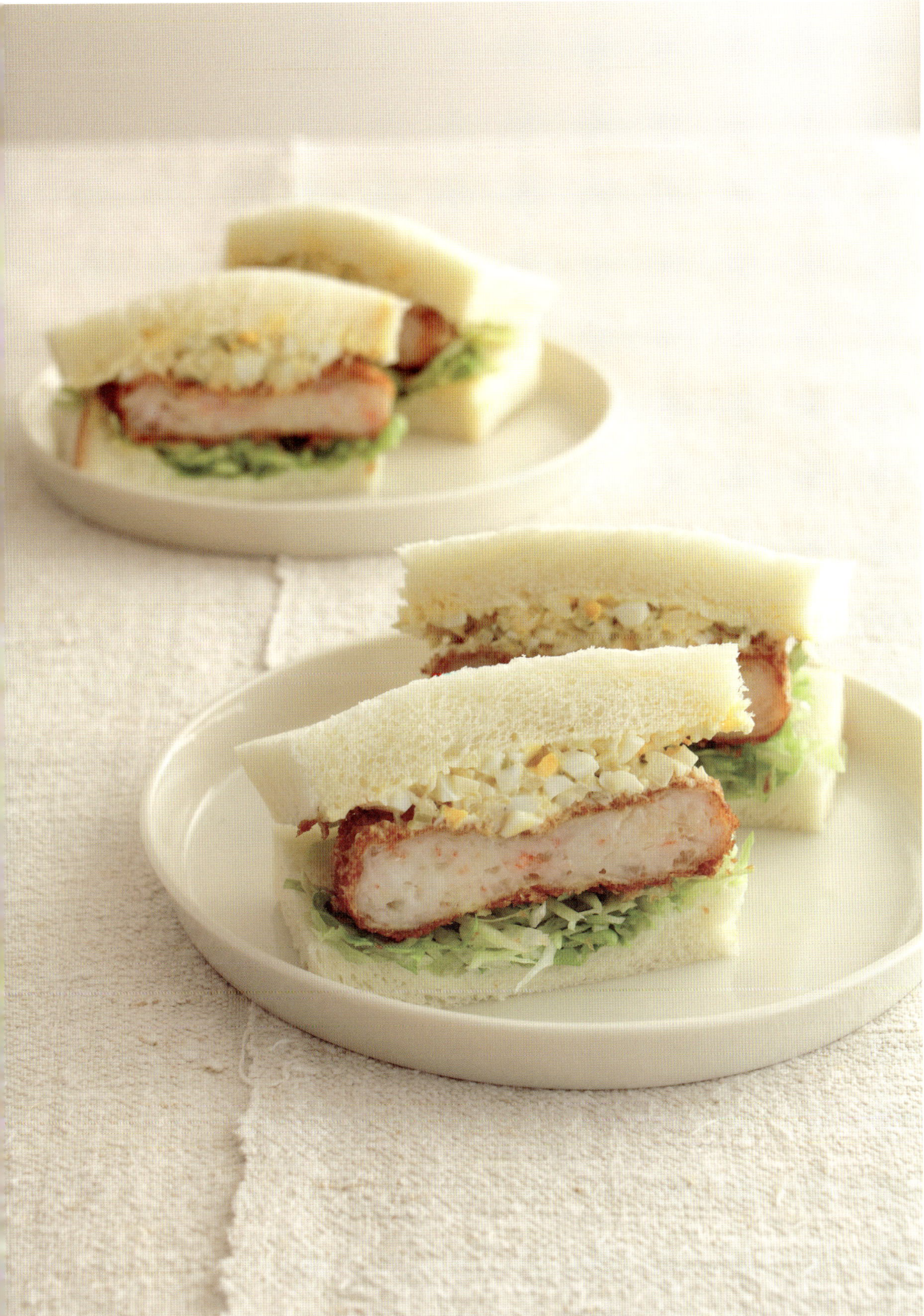

56 あじの干ものフライサンド

あじの干物には塩気がついているので、余分な味つけは不要。
青じそを入れて和風テイストに仕上げます。
生のあじを使うより手軽です。

材料／2人分
食パン（8枚切り） 4枚
あじの干もの 2枚
衣
　小麦粉、溶き卵、パン粉
　　各適量
揚げ油 適量
レタス 2枚
きゅうり ½本
紫玉ねぎ ¼個
青じそ 4〜6枚
辛子マヨネーズ 大さじ2
レモン 適量
辛子マヨネーズ p.12参照。

1　あじの干ものは頭と骨をとり除き、縦半分に切る。小麦粉、溶き卵、パン粉の順に衣をつける。
2　揚げ油を180℃に熱し、1を入れてきつね色にカラリと揚げる。
3　レタスときゅうりはせん切りにし、紫玉ねぎは薄切りにする。合わせて水に放し、ザルに上げて水気をきり、ペーパータオルで水気を拭く。
4　パンは2枚1組にし、片面に辛子マヨネーズをぬる。青じそを敷き、3をのせ、2をのせてレモンを絞りかけ、はさむ。手で軽く押さえてなじませ、切り分ける。

キーマカレーパン

自家製のキーマカレーで作ると、おいしさもひとしお。
揚げたてアツアツを頬張るのがおすすめ！

材料／2人分
食パン（12枚切り）　6枚
キーマカレー（作りやすい分量）
　合いびき肉　300g
　にんにくのみじん切り　1片分
　しょうがのみじん切り
　　1かけ分
　玉ねぎのみじん切り　1個分
　サラダ油　大さじ2
　小麦粉　大さじ1
　カレー粉　大さじ3
　トマトケチャップ　大さじ5
　水　½カップ
　塩　小さじ⅔
　こしょう　少々
溶き卵、パン粉　各適量
揚げ油　適量

1　キーマカレーを作る。鍋にサラダ油を熱してにんにく、しょうが、玉ねぎを炒め、合いびき肉を加えてさらに炒める。小麦粉、カレー粉を加えてなじませ、トマトケチャップ、分量の水、塩、こしょうを加えて7〜8分煮詰める。バットに広げて冷ます。
2　パンは2枚1組にして耳を切り落とし、1枚ずつめん棒で薄くのばす。真ん中に1を適量おき、まわりに指で水をつけてはさみ、指でしっかりと押してくっつける。
3　2を溶き卵にくぐらせ、パン粉をまぶす。
4　揚げ油を170℃に熱し、3を入れてきつね色に揚げる。油をきって切り分ける。

パンは上からめん棒を転がして、薄くのばす。

カレーをはさんだら、指でしっかりと押して2枚のパンをくっつける。

58 ピロシキ風

ひき肉、春雨、ゆで卵、野菜炒めをパンにはさんで揚げた、ちょっぴり甘めのおかずパン。
ひき肉は炒めたもの、生のもの両方を使うことで
ジューシーな仕上がりになります。

材料／12個分

- 食パン（12枚切り） 24枚
- 牛ひき肉　150g
- 春雨（乾）　20g
- ゆで卵　1個
- 玉ねぎ　½個
- ピーマン　1個
- 生しいたけ　2枚
- しょうが　1かけ
- サラダ油　大さじ2
- 小麦粉　大さじ2
- 塩　小さじ1
- こしょう　少々
- トマトケチャップ　大さじ3

1 春雨は湯で戻して2cm長さに切る。ゆで卵、玉ねぎ、ピーマン、生しいたけ、しょうがはみじん切りにする。

2 フライパンにサラダ油を熱して玉ねぎ、ピーマン、生しいたけ、しょうがを炒め、合いびき肉の半量、小麦粉、塩、こしょう、トマトケチャップを加えて炒め合わせる。バットに広げて冷ます。

3 ボウルに残りの合いびき肉を入れ、春雨、ゆで卵、**2**を加えて練るように混ぜ合わせる。

4 パンは2枚1組にし、耳を切り落とし、1枚ずつめん棒で薄くのばす。直径7〜8cmのコップなどで軽く印をつけ、その円の真ん中に**3**をおく。印のところに指で水をつけ、もう1枚のパンではさみ、同じコップを押しつけて切り抜く。これで2枚のパンがくっつく。

5 揚げ油を170℃に熱し、**4**を入れ、きつね色になるまで揚げる。

合いびき肉の半量、玉ねぎ、ピーマン、生しいたけ、しょうがを炒めて調味し、バットに広げて冷ましておく。

合いびき肉の半量、春雨、ゆで卵、そして炒めておいた分を加えて混ぜ合わせる。これがピロシキのフィリング。

パンをめん棒で薄くのばし、コップを逆さにして軽く印をつける。この円の中にフィリングをおく。

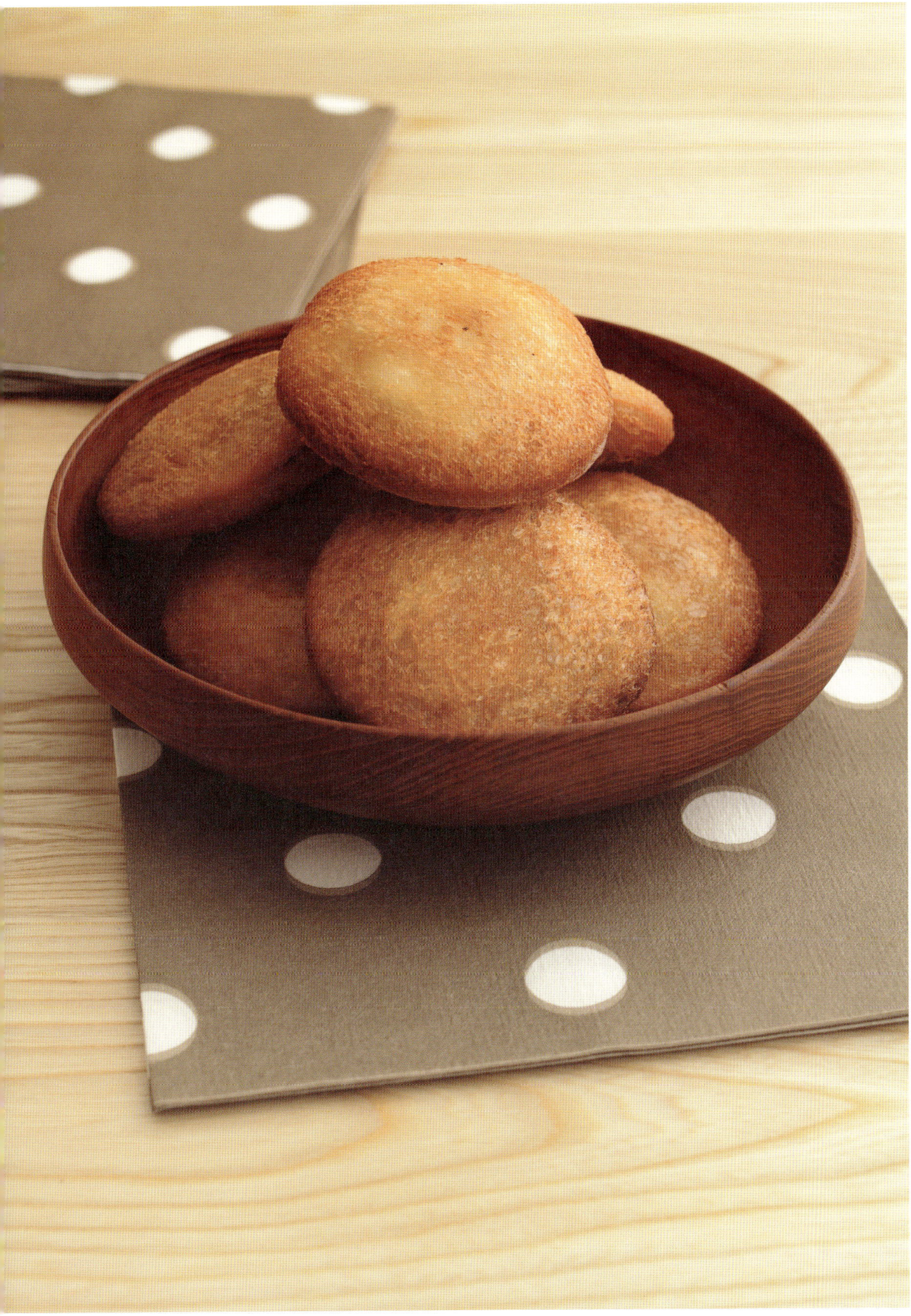

バインミー

バインミーはベトナムの屋台や食堂でポピュラーなファストフード。ナンプラー味の焼き肉となますをやわらかいフランスパンにはさむのが特徴。
思いのほか、あっさりとした味わいです。

材料／2人分
ソフトフランスパン　1本
牛薄切り肉　80〜100g
牛肉の下味
　シーズニングソースまたは
　　たまりじょうゆ　小さじ½
　ナンプラー　小さじ½
　にんにくのすりおろし　少々
　サラダ油　小さじ2
なます
　大根　6cm
　にんじん　½本
　酢　大さじ4
　砂糖　大さじ3
　水　大さじ1
紫玉ねぎ　¼個
バター　大さじ1
サニーレタス　1枚
青じそ　4枚
香菜(シャンツァイ)、ミント　各適量

※シーズニングソース　ベトナム料理やタイ料理でよく使われる、大豆が原料の調味料。しょうゆより甘みが強く、香り、コクも強い。なければ、たまりじょうゆで代用。

1　なますを作る。大根、にんじんはそれぞれせん切りにして塩適量(分量外)でもみ、水気をしっかりと絞り、酢、砂糖、分量の水を加えて味をなじませる。
2　牛肉は下味の材料をもみ込んで少しおく。
3　紫玉ねぎは薄切りにして水に放し、水気をきり、ペーパータオルで水気を拭く。
4　フライパンを油なしで熱し、2を入れて炒める。
5　パンはアルミホイルに包んでオーブントースターで軽く温め、半分に切る。厚みの半分に切り目を入れてバターをぬり、ちぎったサニーレタス、青じそ、なます、4の牛肉、紫玉ねぎの順に重ね、香菜、ミントをのせてはさむ。

大根とにんじんをせん切りにして甘酢につける。好みでナンプラー少々を加えてもよい。

牛肉はシーズニングソース、ナンプラー、にんにくのすりおろし、サラダ油で下味をつける。

下味をつけた牛肉を炒める。牛肉は脂の少ない部分を使うと、よりベトナム風。

パンはアルミホイルに包んでオーブントースターで軽く温める。これでベトナム風のやわらかさになる。

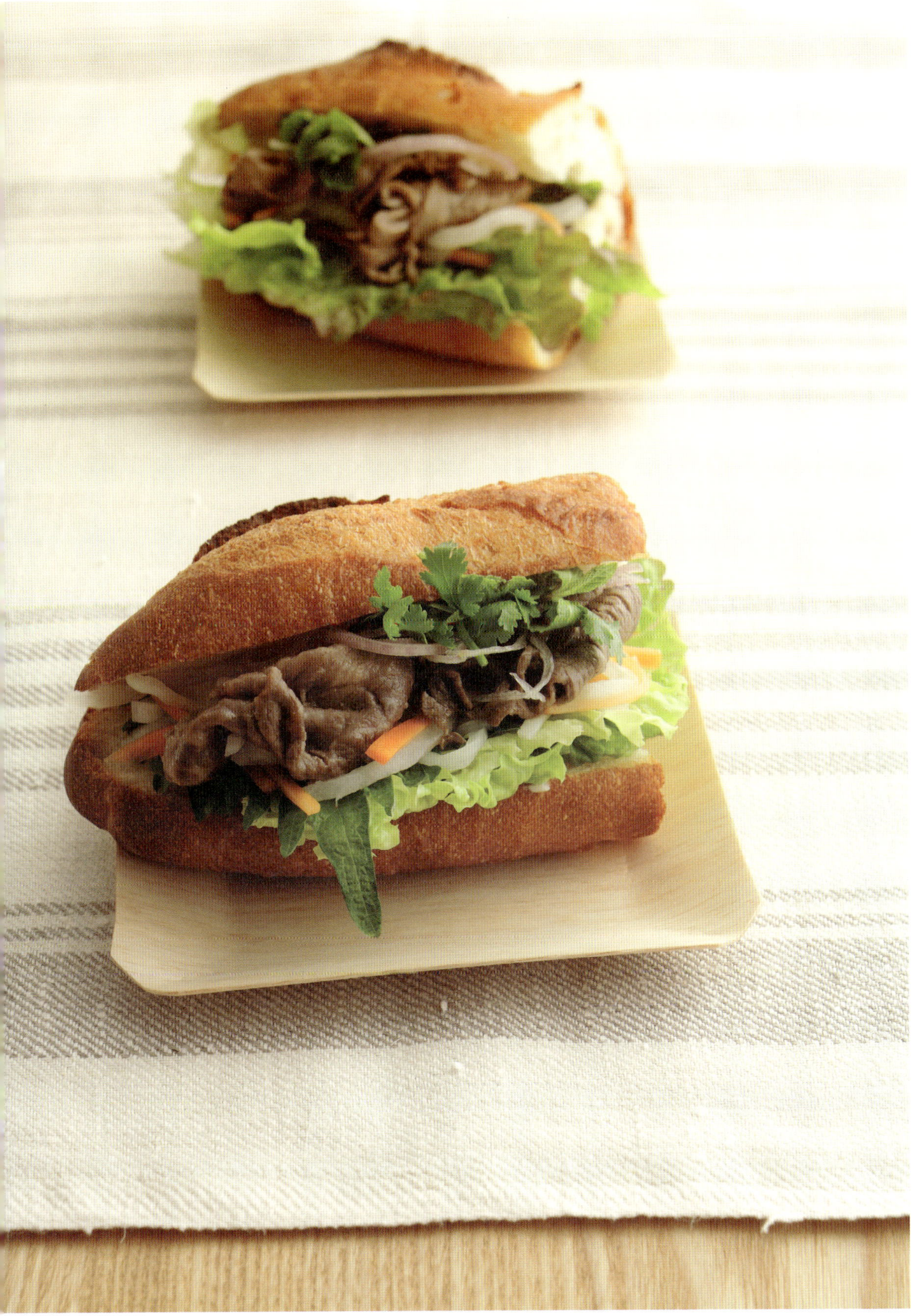

60 プルコギサンド

韓国の代表的肉料理・プルコギをピタパンにはさんだお総菜パン。
牛肉に下味をつけておくと、炒めてもやわらかジューシー。
ピタパンのほか、ハンバーガーバンズを使っても。

材料／2人分
ピタパン（厚いタイプ・ごまつき）
　2個
牛薄切り肉　200g
にんじん　1/3本
玉ねぎ　1/2個
ニラ　1/4束
生しいたけ　2枚
牛肉の下味
　にんにくのすりおろし　1片分
　しょうゆ　大さじ2
　酒　大さじ1
　砂糖　小さじ2
　コチュジャン　小さじ1
　塩、こしょう　各少々
白炒りごま　大さじ1
ごま油　大さじ2
サンチュ、えごまの葉　各適量

1　にんじんは細切りにし、玉ねぎは細めのくし形に切る。にらは5cm長さに切り、生しいたけは石づきをとって薄切りにする。
2　ボウルに牛肉の下味の材料を入れ、牛肉を加えてよくもみ込み、**1**とごまを加えて混ぜる。
3　フライパンにごま油を熱し、**2**を入れてよく炒め、バットにとり出す。
4　ピタパンを半分に切り、中のポケットにサンチュとえごまの葉をはさみ、**3**をたっぷりと詰める。

61 トルコ風さばサンド

トルコのファストフード・さばサンドを再現。
さばはシンプルに塩焼きにし、フレッシュトマトと紫玉ねぎをはさみます。
レモンをキュッと絞っていただきます。

材料／2人分
バゲット（小さめのもの）　1本
さば　2切れ
塩　適量
紫玉ねぎ　½個
トマト　½個
レモンのくし形切り　適量

1　さばは骨をとって塩をふる。焼き網またはグリルで両面こんがりと焼く。

2　紫玉ねぎは薄切りにし、水に放して水気をきり、ペーパータオルで水気を拭く。トマトは5mm厚さに切る。

3　バゲットは半分に切って厚みの半分に切り目を入れ、霧吹きで軽く水をかけ、ペーパータオルに包む。蒸し器に入れ、蒸気の立った状態で2分ほど蒸す。

4　**3**のバゲットにトマト、紫玉ねぎ、さばの順に重ねてはさむ。レモンを添える。

バゲットはペーパータオルに包んで蒸し器で蒸す。少しかたくなったバゲットもこの方法で使うことができる。

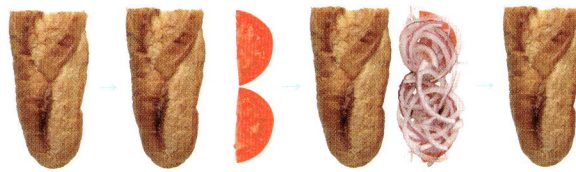

62 フムスサンド

中東の広い地域で食べられているフムスは
ひよこ豆にレモン汁やオリーブオイルを加えて作る
ペースト状の料理。
焼きなすと組み合わせてピタパンサンドにします。
香菜(シャンツァイ)の香りがアクセントです。

材料／2人分
ピタパン（薄いタイプ）　2枚
フムス
　ひよこ豆（水煮）　100g
　牛乳　大さじ1
　白練りごま　小さじ2
　レモン汁　小さじ½
　塩　小さじ½
　オリーブオイル　大さじ1
　こしょう　少々
　クミンパウダー　小さじ½
なす　1本
オリーブオイル　適量
塩、レモン汁　各少々
トマト　½個
香菜　適量
レモンの半月切り　適量

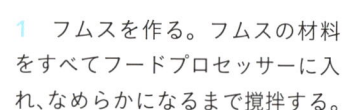

1　フムスを作る。フムスの材料をすべてフードプロセッサーに入れ、なめらかになるまで撹拌する。
2　なすはヘタをとり、縦5mm厚さに切る。フライパンにオリーブオイル適量を熱してなすを両面焼き、塩とレモン汁をふる。
3　トマトは5mm厚さに切る。香菜は刻む。
4　ピタパンは2枚に開き、内側の面にオリーブオイル少々をぬり、軽くトーストする。
5　4にフムス、なす、トマトの順にのせ、香菜をふってはさむ。手で軽く押さえてなじませ、半分に切り分ける。レモンを添える。

フムスの材料はフードプロセッサーでペースト状にする。ひよこ豆は缶詰またはドライパックのものを使う。自分でゆでてもよい。

なすはオリーブオイルで両面香ばしく焼き、塩とレモン汁をふる。

ピタパンの内側にオリーブオイルをぬり、軽くトーストする。オリーブオイルは香りのよいエクストラバージンオリーブオイルを。

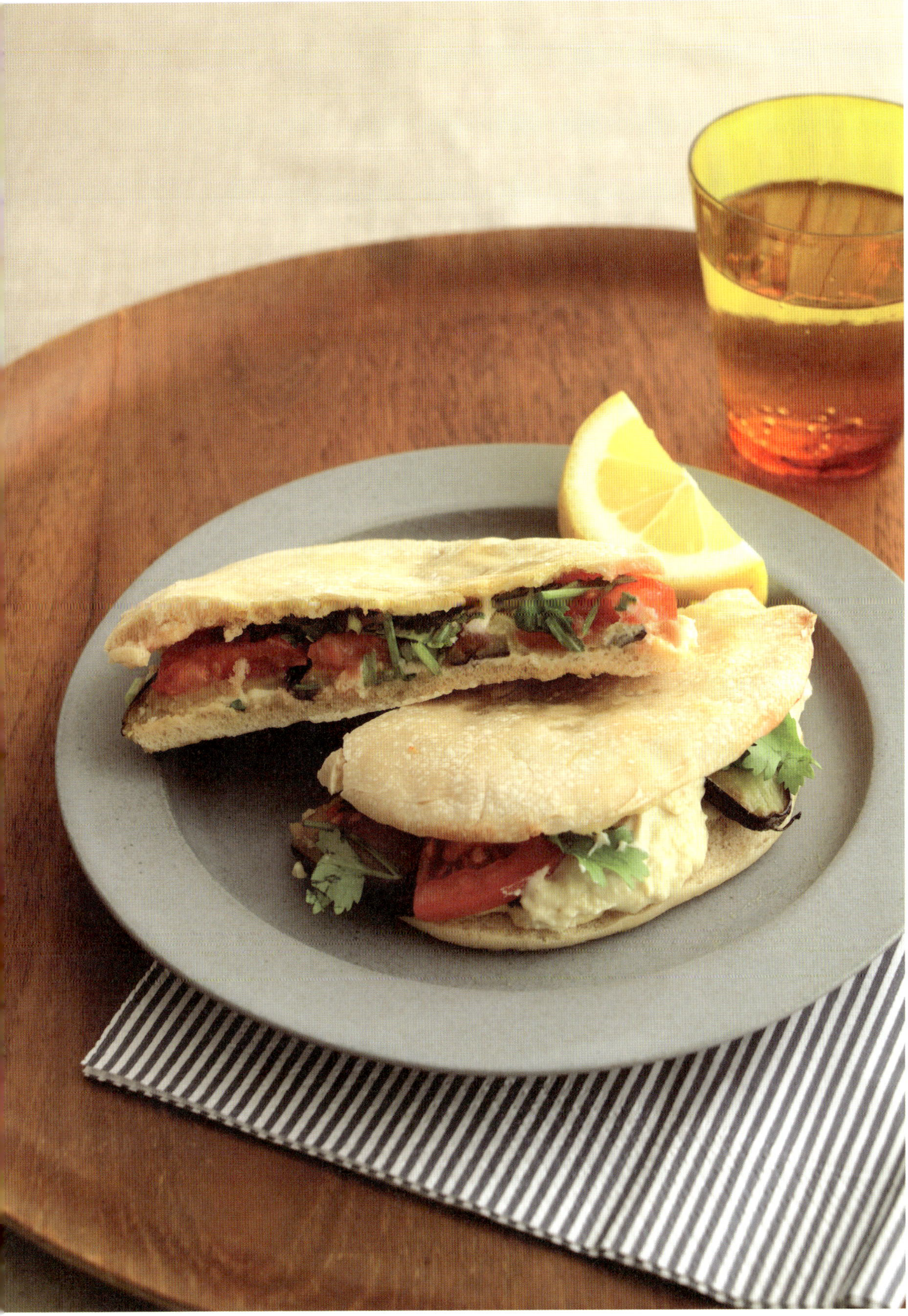

ファラフェルサンド

63

ひよこ豆とスパイスで作った中東のコロッケがファラフェル。
カリッとした香ばしさ、ホクホクとした食感、
スパイシーな香りはクセになるおいしさ。
ピタパンにたっぷり詰めて頬張りたい！

材料／2人分
ピタパン（薄いタイプ） 1枚
ファラフェル（作りやすい分量）
　ひよこ豆（乾） 200g
　香菜（シャンツァイ）のみじん切り 大さじ3
　パセリのみじん切り 大さじ1
　にんにくのみじん切り ½片分
　玉ねぎのみじん切り ¼個分
　クミンパウダー 小さじ½
　塩 小さじ½
　揚げ油 適量
紫キャベツ ⅓個
トマト ¼個
きゅうり ⅓本
紫玉ねぎ ¼個
塩 適量
酢 小さじ1
オリーブオイル 大さじ1
レモン汁 少々
フムス 適量

ヨーグルトソース（作りやすい分量）
　プレーンヨーグルト 100g
　にんにくのすりおろし 小さじ⅓
　オリーブオイル 大さじ2
　クミンパウダー 小さじ⅓
　レモン汁 小さじ½
　塩 小さじ½
サニーレタス 2枚

☑ フムス p.78参照。

1　ファラフェルを作る。ひよこ豆はたっぷりの水に一晩つけ、ザルに上げて水気をきる。フードプロセッサーで撹拌し、粗めのペースト状にする。

2　1をボウルに移し、香菜、パセリ、にんにく、玉ねぎ、クミンパウダー、塩を加えて混ぜ合わせ。ピンポン玉程度の大きさに丸める。

3　揚げ油を180℃に熱し、2を入れてカリッと揚げる。

4　紫キャベツはせん切りにしてさっとゆで、水気をしっかりと絞る。塩少々、酢、オリーブオイルであえる。

5　トマト、きゅうり、紫玉ねぎは1cm角に切ってボウルに合わせ、塩少々、レモン汁であえる。ヨーグルトソースの材料は混ぜ合わせる。

6　ピタパンは半分に切り、中のポケットにサニーレタス、4、ファラフェル、フムス、5を詰める。ヨーグルトソースをかけて食べる。

ひよこ豆は一晩水につける。ひよこ豆の水煮缶やドライパックを使っても。

フードプロセッサーにかける。食感が残る程度の粗めのペースト状にする。

ひよこ豆のペーストに香菜、パセリ、にんにく、玉ねぎ、クミンパウダー、塩を混ぜる。

ピンポン玉くらいに丸め、揚げ油で揚げる。揚げ油はできればオリーブオイルを使うとカリッと仕上がる。

ヨーグルトソースはたっぷりめに作っておき、好みで随時かける。

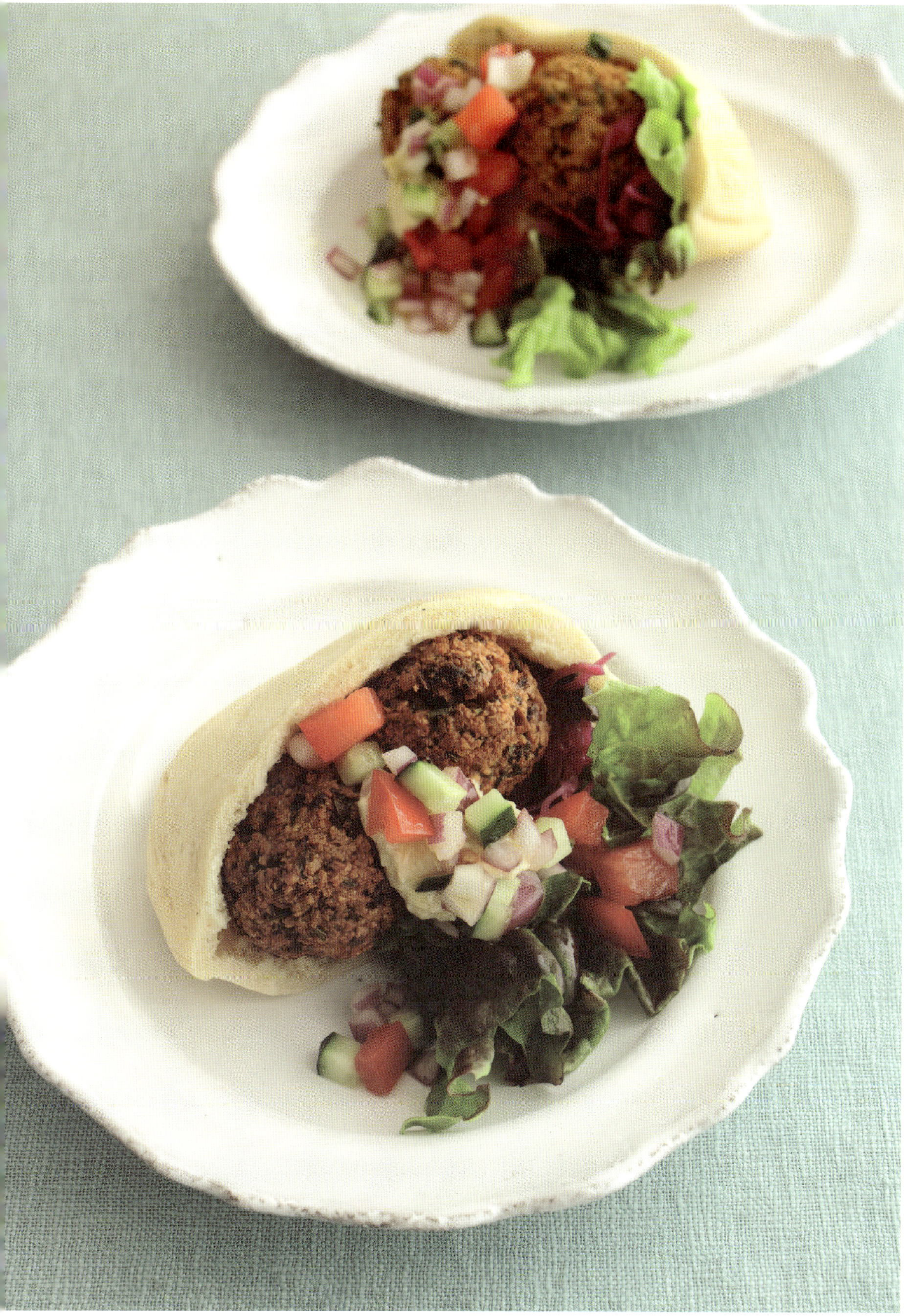

64 自家製リエットサンド

リエットは、豚肉などの肉を脂といっしょにやわらかく煮てペースト状にしたフランスの料理。ここでは脂は足さず、豚肉についている脂のみで作ります。
バゲットにサンドすると最高！ 保存できるのも魅力です。

材料／2人分
バゲット（細くて短めのもの） 1本
リエット（作りやすい分量）
　豚バラかたまり肉　400g
　玉ねぎ　1/2個
　にんにく　1片
　オリーブオイル　大さじ2
　白ワイン　1/2カップ
　水　1/2カップ
　固形スープの素　1/2個
　塩　小さじ2
　こしょう　適量
粗びき黒こしょう　適量

1　リエットを作る。豚肉は1cm厚さに切り、塩小さじ1、こしょう少々をふる。玉ねぎとにんにくは薄切りにする。

2　鍋にオリーブオイルを熱して豚肉を入れ、焼き色をつけないように肉の色が変わる程度に焼く。玉ねぎとにんにくを加えて炒め合わせ、白ワインを注ぐ。強火で煮立たせ、分量の水と固形スープの素を加えてふたをし、弱火で1時間ほど煮る。

3　ふたをとってさらに40分ほど煮、豚肉がくずれるくらいやわらかくなったら火を止め、そのまま粗熱をとる。

4　フードプロセッサーに3の豚肉と煮汁の半量を入れ、塩小さじ1、こしょう少々を加え、ペースト状になるまで撹拌する。

5　バゲットはオーブントースターで軽く温め、厚みを半分に切って4をぬり、粗びき黒こしょうをふってはさむ。半分の長さに切り分ける。

豚肉、玉ねぎ、にんにくを炒め、白ワインとスープで煮る。

豚肉がやわらかくなったら火を止め、このまま粗熱をとる。

粗熱がとれたらフードプロセッサーに入れ、鍋の煮汁を半量ほど加え、撹拌する。

なめらかなペースト状になったらできあがり。保存瓶に入れておけば冷蔵庫で9〜10日もつ。

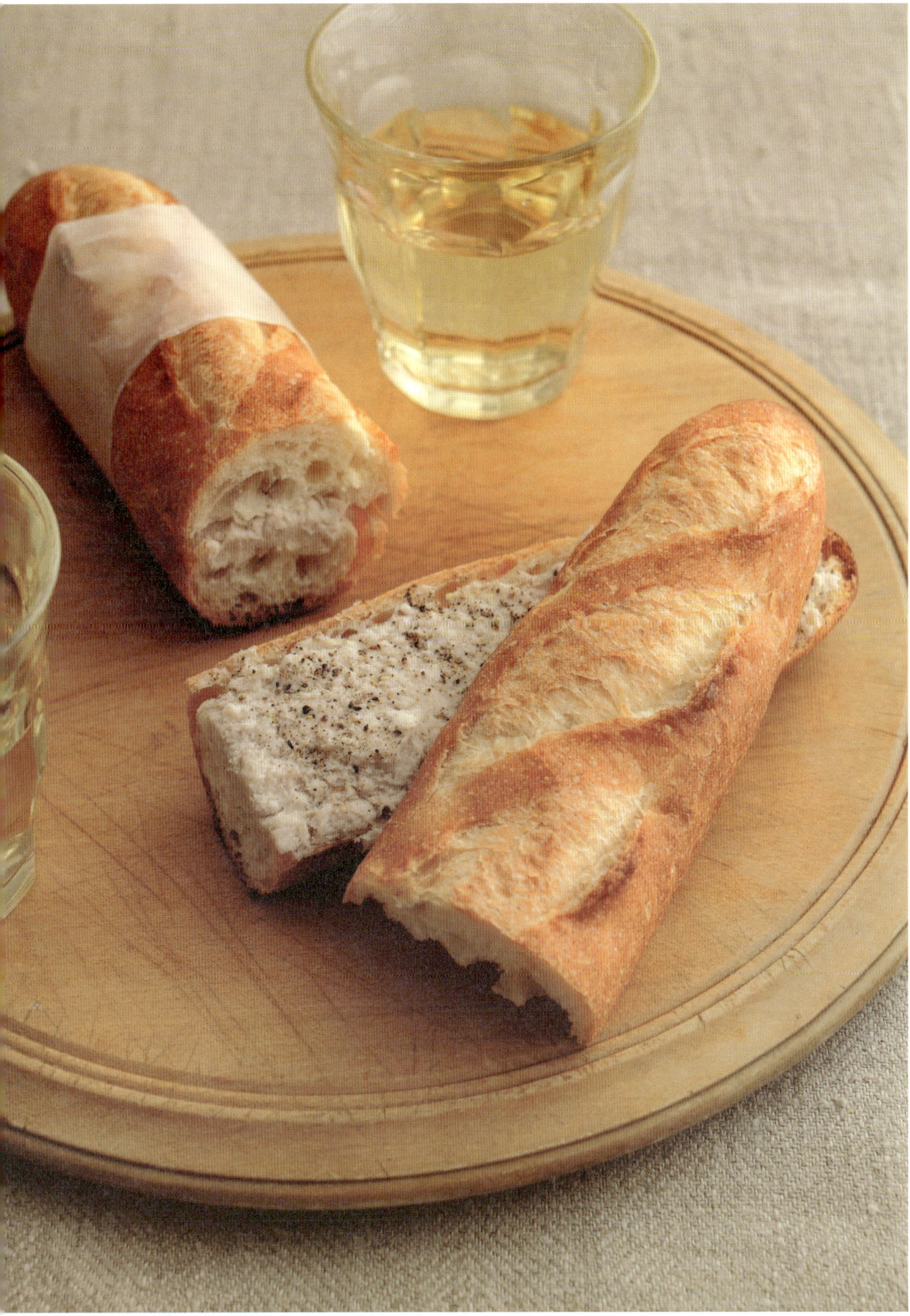

レバーペーストサンド

65

赤ワインで煮たレバーをペーストにし、
バター、生クリーム、ブランデーで仕上げた本格派。
ワインとともに楽しむ大人のサンドイッチです。

材料／2人分
食パン（12枚切り・黒）　4枚
レバーペースト（作りやすい分量）
　鶏レバー　200g
　にんにく　½片
　オリーブオイル　小さじ2
　赤ワイン　大さじ3
　無塩バター（室温に戻したもの）
　　60g
　生クリーム　大さじ1½
　ブランデー　小さじ1
　塩　小さじ⅔
　こしょう　少々
※食パン（12枚切り・黒）は、できればキャラウェイシード入り。

1　レバーペーストを作る。鶏レバーは筋をとり除き、氷水に5分ほどさらして血抜きをし、水けを拭く。にんにくはつぶす。

2　フライパンにオリーブオイルとにんにくを入れて弱火で熱し、にんにくの香りが出てきたら1の鶏レバーを加え、強火で色が変わるまで炒める。

3　赤ワインを加え、水分が半量程度になるまで煮詰め、バットに移して粗熱をとる。

4　3をフードプロセッサーに移し、バターの半量を加えて撹拌する。残りのバターと生クリーム、ブランデー、塩、こしょうを加えてさらに撹拌し、なめらかなペースト状にする。

5　パンは2枚1組にし、軽くトーストする。4を厚めにぬってはさみ、手で押さえてなじませ、耳を切り落として切り分ける。ピクルス（分量外）を添える。

鶏レバーはにんにくの香りが移ったオリーブオイルで炒める。強火で色が変わるまで炒めればよい。

赤ワインを加え、水分が半量程度になるまで煮詰めていく。赤ワインで煮ることで風味とコクがつき、レバーのクセもやわらぐ。

赤ワインで煮た鶏レバー、バターの半量をフードプロセッサーにかける。バターは室温に戻してやわらかくしたものを使う。

残りのバター、生クリーム、ブランデー、塩、こしょうを加え、なめらかになるまでさらに撹拌する。これでレバーペーストの完成。

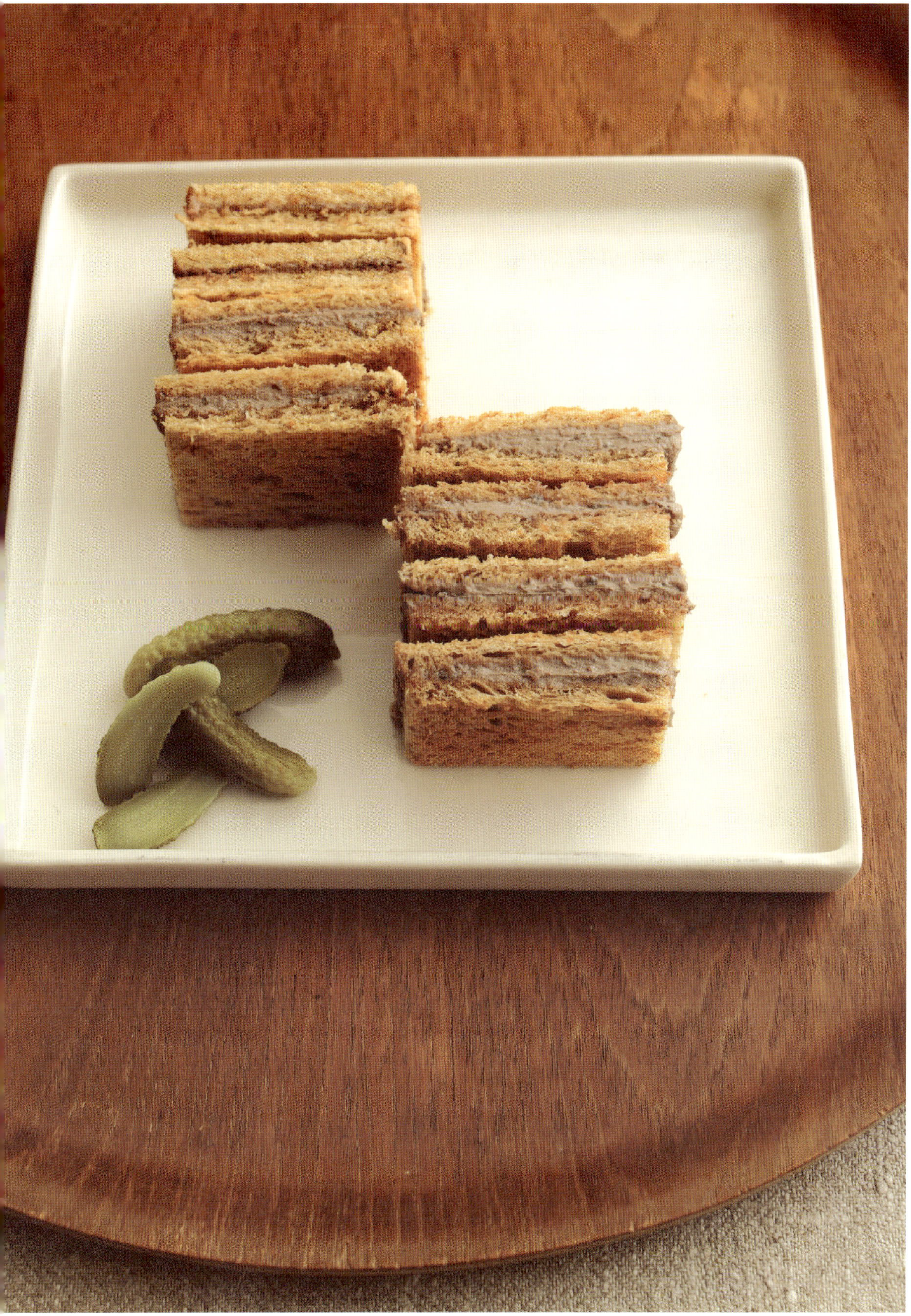

66 サーモンペーストサンド

スモークサーモンとカッテージチーズで軽い口当たりのペーストを作り、スモークサーモンと相性のよいディルとともにサンドイッチにします。おもてなしやお酒の席にも喜ばれる一品です。

材料／2人分
食パン（12枚切り）　2枚
食パン（12枚切り・黒）　2枚
サーモンペースト（作りやすい分量）
　スモークサーモン　60g
　カッテージチーズ（裏漉しタイプ）
　　100g
　レモン汁　小さじ1
　オリーブオイル　大さじ1
ディル　2〜3枝
※食パン（12枚切り・黒）は、できればキャラウェイシード入り。

1　サーモンペーストを作る。フードプロセッサーにスモークサーモン、カッテージチーズ、レモン汁、オリーブオイルを入れ、なめらかになるまで撹拌する。
2　食パンは白と黒を1枚ずつセットにし、黒パンに**1**をぬり、ディルを散らし、白パンではさむ。
3　ラップで包んで少し落ち着かせ、耳を切り落として切り分ける。

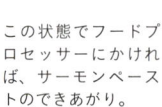

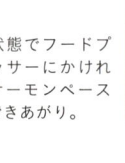

この状態でフードプロセッサーにかければ、サーモンペーストのできあがり。

67 チーズペーストのオープンサンド

チーズのオリーブオイル漬けを作っておき、
ペースト状になったらパンにのせて焼きます。
冷蔵庫に残っているチーズを好きに組み合わせて作ります。

材料／2人分
パン・ド・カンパーニュ（薄切り）
　2枚
チーズペースト（作りやすい分量）
　ブリーチーズ　120g
　ウォッシュタイプのチーズ
　　120g
　シェーブルチーズ　60g
　にんにくのみじん切り　1片分
　タイム　2枝
　オリーブオイル　適量

1　チーズペーストを作る。チーズ3種は手でちぎるかナイフで切り、保存容器に入れる。にんにくとちぎったタイムを加え、オリーブオイルをかぶるまで注ぎ、ふたをして数日冷蔵庫でなじませる。
2　パンに1を適量のせ、オーブントースターに入れ、チーズが溶けてこんがりするまで焼く。好みで粗びき黒こしょうをふる。

保存容器にチーズ、にんにく、タイムを入れ、オリーブオイルを注ぎ入れ、ふたをして冷蔵庫へ。作って2〜3日目から使えるが、2週間ほどたった方がよりおいしい。

68 なすのペーストサンド

なすの甘みとうまみをギュッと凝縮させたペーストは
サンドイッチのフィリングにぴったり。
カリッとトーストした薄切りパンとよく合います。

材料／2人分
食パン（12枚切り）　4枚
なすペースト（作りやすい分量）
　なす　4本
　玉ねぎ　½個
　オリーブオイル　適量
　トマトペースト　大さじ1
　塩　小さじ½
　こしょう　適量

1　なすペーストを作る。なすはヘタをとって縦半分に切り、皮と身の間にぐるりと切り込みを入れる。玉ねぎはみじん切りにする。
2　フライパンにオリーブオイル大さじ4を熱してなすを並べ入れ、しっとりするまで焼く。とり出して身をくりぬく。
3　2のフライパンにオリーブオイル少々を足し、玉ねぎを入れて炒め、2のなすを戻し入れる。トマトペースト、塩、こしょうで味を調える。
4　3をまな板の上に移し、包丁でペースト状にたたく。
5　パンは耳を切り落として半分に切り、軽くトーストする。2枚1組にし、4をぬってはさみ、手で押さえてなじませる。

炒めたなすと玉ねぎに、トマトペーストでうまみと甘み、色をプラスし、包丁でたたく。

69 きのこのペーストサンド

色は悪いけれど味は一級品。ここでは生しいたけとマッシュルームを使いましたが、エリンギ、しめじなど、好みのきのこでOK。
きのこは洗うと香りが逃げてしまうので、拭いて使います。

材料／2人分
バゲット　½本
きのこペースト（作りやすい分量）
　生しいたけ　10枚
　マッシュルーム　10個
　にんにく　1片
　アンチョビー　30g
　オリーブオイル　大さじ2
　塩、こしょう　各少々
サワークリーム　適量
パセリのみじん切り　大さじ1

1　きのこペーストを作る。生しいたけ、マッシュルームは石づきをとり、ペーパータオルなどで汚れを拭きとり、みじん切りにする。にんにく、アンチョビーもみじん切りにする。

2　フライパンにオリーブオイルを熱してにんにくとアンチョビーを炒め、生しいたけ、マッシュルームを加えてしっとりとするまでさらに炒める。塩、こしょうで味を調える。

3　バゲットは1cm厚さの斜め切りにし、トーストする。サワークリームをぬり、2をのせ、パセリをふる。

にんにく、アンチョビー、生しいたけ、マッシュルームをよく炒めて、しっとりとさせてペーストに近い状態にする。

70 ホットドッグ

やわらかい口当たりのドックパンに
パリッとした皮のソーセージと手作りザワークラウトをサンド。
いつ食べても飽きないおいしさです。

材料／2人分

ドッグパン　2本
ソーセージ　2本
ザワークラウト　適量
玉ねぎのみじん切り　1/4個分
きゅうりのピクルスのみじん切り
　2本分
辛子バター　大さじ1
粒マスタード　適量
- ザワークラウト　p.102参照。
- 辛子バター　p.12参照。

1　ソーセージはフライパンまたはグリルパンで焼く。
2　ドッグパンは上面に切り目を入れ、アルミホイルで包み、オーブントースターで軽く温める。
3　ドッグパンの切り目に辛子バターをぬり、ザワークラウトをはさんでソーセージをのせる。玉ねぎとピクルスをのせ、粒マスタードを添える。

71 チリコンドッグ

ソーセージといっしょに
チリコンカンをはさんだメキシカンな一品。
ドッグパンだからこその食べやすさとおいしさ！

材料／2人分
ドッグパン　2本
ソーセージ　2本
チリコンカン（作りやすい分量）
　牛ひき肉　150g
　赤いんげん豆（水煮）　140g
　にんにくのみじん切り　1片分
　玉ねぎのみじん切り　1/2個分
　サラダ油　大さじ1
　チリパウダー　小さじ1/2
　レッドペッパー　小さじ1/2
　クミンパウダー　小さじ1/2
　粗びき黒こしょう　少々
　トマトピューレ　1/2カップ
　水　1/2カップ
　塩　小さじ2/3
玉ねぎのみじん切り　1/4個分
きゅうりのピクルスのみじん切り
　2本分
バター　大さじ1
パセリのみじん切り　少々

1　チリコンカンを作る。鍋にサラダ油を熱してにんにくと玉ねぎを炒め、牛ひき肉を加えてさらに炒める。チリパウダー、レッドペッパー、クミンパウダー、粗びき黒こしょうを加えて香りを出し、赤いんげん豆、トマトピューレ、水を加えて15分ほど煮る。塩で味を調える。
2　ソーセージはフライパンまたはグリルパンで焼く。
3　ドッグパンは上面に切り目を入れ、アルミホイルで包み、オーブントースターで軽く温める。
4　ドッグパンの切り目にバターをぬり、玉ねぎとピクルスをはさむ。ソーセージをのせ、1をたっぷりとかける。パセリを散らす。

チリコンカンは作りおきしておいても。保存容器に入れて冷蔵庫で4〜5日もつ。

ハンバーグサンド

72

牛ひき肉で作るハンバーグは、しっかりとした味わい。
うまみたっぷりの焼き汁をベースに作るソースを
たっぷりからめて仕上げます。
パンには辛子バターをぬり、さらにマヨネーズもぬって、
ハンバーグとの味のバランスをとります。

材料／2人分
食パン（6枚切り）　4枚
ハンバーグの生地
　牛ひき肉　200g
　玉ねぎ　1/6個
　パン粉　大さじ2
　牛乳　大さじ2
　塩　小さじ1/3
　こしょう　少々
　溶き卵　1/4個分
サラダ油　大さじ1
赤ワイン　大さじ3
水　大さじ3
ウスターソース　大さじ2
トマトケチャップ　大さじ2
バター　大さじ2
塩、こしょう　各少々
辛子バター　大さじ2
マヨネーズ　大さじ2
サラダ菜　4〜6枚
※辛子バター　p.12参照。

1　ハンバーグの生地を作る。玉ねぎはみじん切りにする。パン粉は牛乳をかけて湿らせる。

2　ボウルに生地の材料をすべて入れ、粘りが出るまで手でよく混ぜ合わせる。2等分にして手でまとめ、中の空気を抜くようにしながら楕円形に整える。

3　フライパンにサラダ油を熱し、2を入れ、両面こんがりと焼く。ふたをして弱火にし、じっくりと中まで火を通してとり出す。

4　3のフライパンに赤ワインを加えて煮立て、分量の水、ウスターソース、トマトケチャップを加えて煮詰め、バターを溶かし込む。塩、こしょうで味を調える。

5　4にハンバーグを戻してソースをからめる。

6　パンは耳を切り落として軽くトーストし、2枚1組にし、片面に辛子バターをぬり、さらにマヨネーズをぬる。サラダ菜をのせ、4のハンバーグをおいてはさむ。手で軽く押さえてなじませ、切り分ける。ピクルス（分量外）を添える。

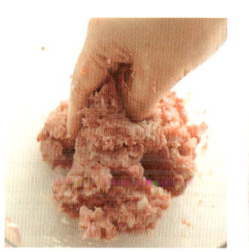

ハンバーグの生地は練るようにしてよく混ぜ合わせる。

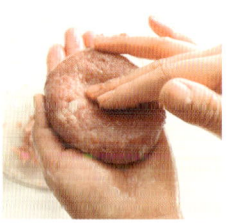

楕円形に整え、真ん中を指で押して少し凹ませる。これで火の通りが均一になる。

ハンバーグは両面こんがりと焼く。このあとふたをして弱火にし、中まで火を通す。

煮詰めたたれにハンバーグをしっかりとからめる。これをパンにはさむ。

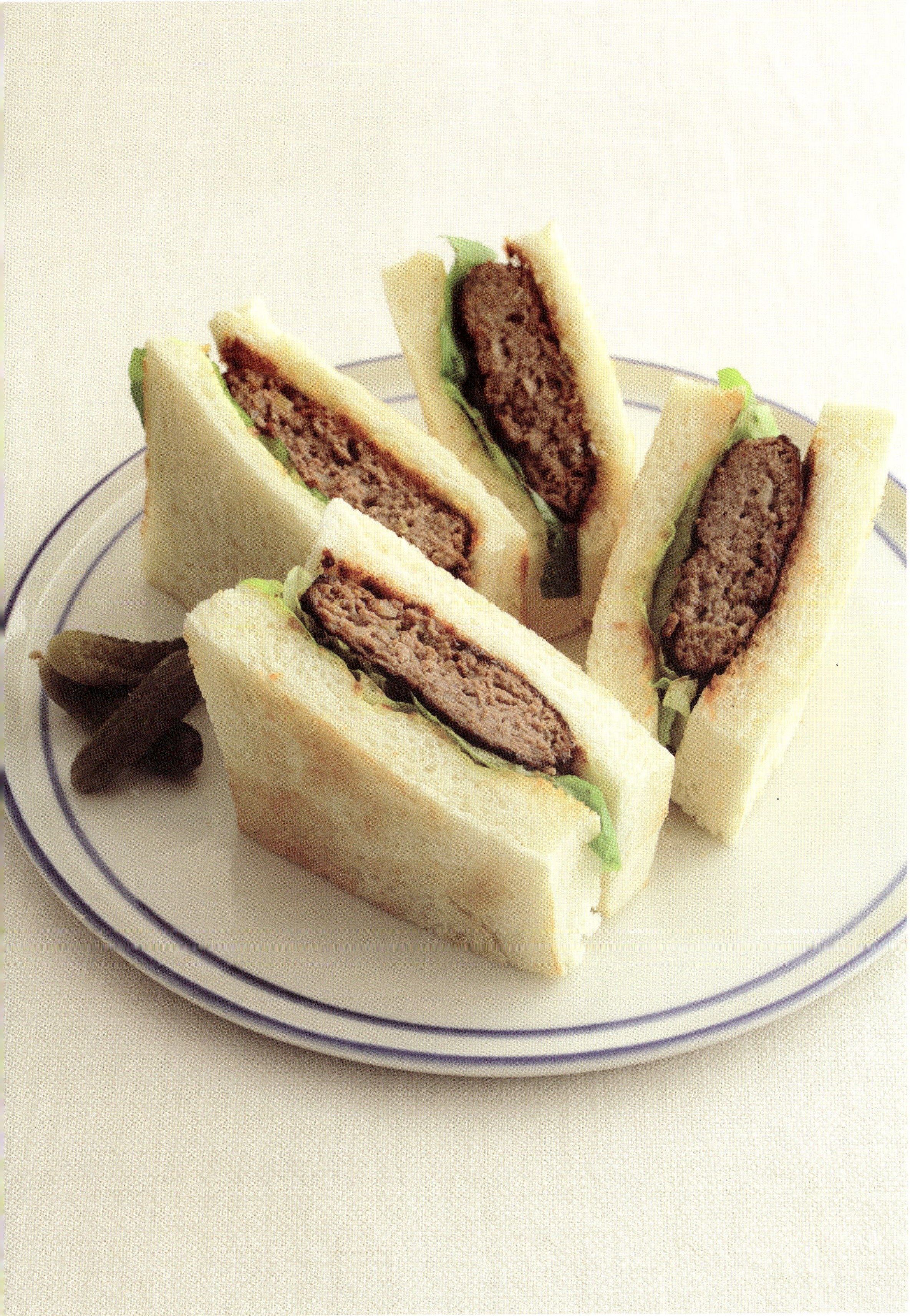

73 スタンダードハンバーガー

ハンバーグサンドと同じハンバーグを作り、
焼きたてアツアツのところを
フレッシュ野菜とともにバンズにはさみます。

材料／2人分
バンズ　2個
ハンバーグの生地　2個分
レタス　2〜3枚
トマト　⅓個
サラダ油　大さじ1
塩、こしょう　各少々
マヨネーズ、辛子バター　各適量
玉ねぎのみじん切り　¼個分
きゅうりのピクルスのみじん切り
　2本分
☑ ハンバーグの生地　p.92参照。
☑ 辛子バター　p.12参照。

1 ハンバーグの生地は2等分し、丸く成形する。
2 レタスは大きめにちぎって水に放し、水気をきり、ペーパータオルで水気を拭く。トマトは1cm厚さに切る。
3 フライパンにサラダ油を熱し、**1**を入れ、両面こんがりと焼く。ふたをして弱火にし、中まで火を通す。とり出して塩、こしょうをふる。
4 バンズは厚みを半分に切り、切った面を下にしてフライパンでさっと焼く。
5 下のバンズにマヨネーズをぬり、レタス、トマト、ハンバーグの順に重ね、玉ねぎとピクルスを合わせてのせる。上のバンズに辛子バターをぬってのせる。オニオンリングフライ（分量外。p.101参照）を添える。

74 チーズバーガー

スタンダードハンバーガーのバリエーション。
ハンバーグにチーズをのせて焼き上げ、
チーズがとろりとなったらバンズにはさみます。

材料／2人分
バンズ　2個
ハンバーグの生地　2個分
サニーレタス　1〜2枚
玉ねぎ　¼個
きゅうりのピクルス　2本
サラダ油　大さじ1
スライスチーズ（溶けるタイプ）
　2枚
辛子バター、トマトケチャップ
　各適量
☑ ハンバーグの生地　p.92参照。
☑ 辛子バター　p.12参照。

1　ハンバーグの生地は2等分し、丸く成形する。

2　サニーレタスは大きめにちぎり、玉ねぎは薄い輪切りにしてバラバラにし、それぞれ水に放す。水気をきり、ペーパータオルで水気を拭く。ピクルスは縦薄切りにする。

3　フライパンにサラダ油を熱し、1を入れて両面こんがりと焼き、ふたをして弱火にし、中まで火を通す。チーズをのせて再びふたをし、チーズを溶かす。

4　バンズは厚みを半分に切り、切った面を下にしてフライパンで焼く。

5　下のバンズに辛子バターをぬり、サニーレタス、ピクルス、玉ねぎ、ハンバーグの順に重ね、上のバンズにトマトケチャップをぬってのせる。ポテトフライ（分量外。p.98参照）を添える。

ベーコンエッグバーガー

ハンバーグ、厚切りベーコン、目玉焼きをバンズにはさんで、ボリューム満点！ 目玉焼きを半熟に仕上げてとろっとした黄身をからめていただきます。

材料／2人分
- バンズ　2個
- ハンバーグの生地　2個分
- サラダ油　大さじ1½
- 塩、こしょう　各少々
- ベーコン（厚切り）　2枚
- 卵　2個
- 玉ねぎ　¼個
- 辛子バター、トマトケチャップ、マヨネーズ　各適量
- きゅうりのピクルス　適量

※ハンバーグの生地　p.92参照。
※辛子バター　p.12参照。

1　ハンバーグの生地は2等分し、丸く成形する。

2　フライパンにサラダ油大さじ1を熱し、**1**を入れ、両面こんがりと焼く。ふたをして弱火にし、中まで火を通す。とり出して塩、こしょうをふる。

3　**2**のフライパンをきれいにし、ベーコンを入れ、カリッと焼いてとり出す。フライパンをきれいにしてサラダ油大さじ½を熱し、卵を割り入れ、半熟状の目玉焼きを作る。

4　玉ねぎは輪切りにしてバラバラにし、水に放して水気をきり、ペーパータオルで水気を拭く。

5　バンズは厚みを半分に切り、切った面を下にしてフライパンでさっと焼く。

6　下のバンズに辛子バターをぬり、ハンバーグ、ベーコン、玉ねぎの順に重ね、トマトケチャップを絞って目玉焼きをのせる。上のバンズにマヨネーズをぬってのせる。ピクルスを添える。

サルサバーガー

メキシコ料理の定番ソースであるサルサを
たっぷりとのせた、後味すっきりのハンバーガーです。
サルサと相性のよいアボカドをはさむと、満足度100％！

材料／2人分
バンズ　2個
ハンバーグの生地　2個分
サラダ油　大さじ1½
塩、こしょう　各少々
サルサ（作りやすい分量）
　玉ねぎのみじん切り　½個分
　にんにくのみじん切り　½片分
　トマトの小角切り　大1個分
　塩　小さじ1
　こしょう　少々
　レモン汁　½個分
　オリーブオイル　大さじ2
　香菜(シャンツァイ)のみじん切り　1束分
　青唐辛子の酢漬けのみじん切り
　　1本分
レタス　2～3枚
アボカド　½個
バター　適量
☑ ハンバーグの生地　p,92 参照。

1 サルサを作る。ボウルに玉ねぎ、にんにく、トマトを入れ、塩、こしょう、レモン汁、オリーブオイルを加えてよく混ぜる。香菜、青唐辛子を加えてさらに混ぜる。
2 ハンバーグの生地は2等分し、丸く成形する。
3 フライパンにサラダ油大さじ1を熱して**2**を入れ、両面こんがりと焼く。ふたをして弱火にし、中まで火を通す。とり出して塩、こしょうをふる。
4 レタスは大きめにちぎって水に放し、水気をきり、ペーパータオルで水気を拭く。アボカドは種と皮をとり、薄切りにする。
5 バンズは厚みを半分に切り、切った面を下にしてフライパンでさっと焼く。
6 下のバンズにバターをぬり、レタス、ハンバーグ、アボカド、サルサの順に重ね、上のバンズをのせる。

77 ポテトフライ

サイドメニュー

蒸してから揚げると、表面カリッ、中はホクホク。
皮つきのまま揚げて、じゃが芋の存在感たっぷりに！
じゃが芋はできればメークインがおすすめです。

材料／作りやすい分量
じゃが芋　3個
揚げ油　適量
塩　適量

1　じゃが芋は皮つきのまま蒸し器に入れ、蒸気の立った状態で竹串がスーッと通るまで蒸す。皮つきのまま乱切りにする。
2　揚げ油を170℃くらいに熱し、1を入れ、きつね色になるまで揚げる。最後に火を強めてカラリと仕上げる。
3　熱いうちに塩をまぶす。

じゃが芋は蒸し器で蒸す。竹串がスーッと通るまで25〜30分。

中温の揚げ油に入れ、徐々に温度を上げながら揚げていく。

78 ポテトフライバリエ

サイドメニュー

ポテトチップスにいろいろな味のバリエーションがあるように、ポテトフライにもいろいろな味をからめて楽しみます。揚げたてアツアツにまぶすのがポイント。

青のり風味
青のり大さじ1、塩小さじ½を混ぜ、ポテトフライが熱いうちにまぶす。

黒こしょう風味
粗びき黒こしょう小さじ½、塩小さじ½を混ぜ、ポテトフライが熱いうちにまぶす。

五香粉風味（ウーシャンフェン）
五香粉小さじ½、塩小さじ½を混ぜ、ポテトフライが熱いうちにまぶす。

クミン風味
クミンシード大さじ1をサラダ油大さじ3で炒めて香りを立たせ、油をきる。塩小さじ½、カレー粉大さじ1とともに、ポテトフライが熱いうちにまぶす。

79 ポテトチップス

サイドメニュー

じゃが芋はスライサーなどを使って
半透明になるくらい、ごく薄切りにして揚げます。
多少形が違ったり、揚げ色がまちまちでも
家で作るおいしさに変わりはありません。

材料／作りやすい分量
じゃが芋　3個
揚げ油　適量
塩　適量

1　じゃが芋はスライサーなどで薄切りにする。
2　1を水に20分ほど放し、ざるに上げて水気をきり、ペーパータオルで水気をしっかりと拭く。
3　揚げ油を180℃に熱し、2を適量ずつ入れ揚げる。最後に火を強めてパリッと仕上げる。
4　油をきって引き上げ、熱いうちに塩をふる。

ペーパータオルを使ってしっかりと水気を抜きとると、揚げたときにはねない。

高温の油に入れ、ときどき混ぜながらきつね色に揚げていく。

オニオンリングフライ

80 サイドメニュー

フワッ、サクッの衣に包まれた玉ねぎは甘くてジューシー。
フワッとするのは卵とビール、
サクッの秘密は強力粉とベーキングパウダーです。

材料／作りやすい分量
玉ねぎ 1個
強力粉 適量
衣
　卵 1個
　ビール 1/2カップ
　強力粉 70g
　ベーキングパウダー 小さじ1/4
　塩、こしょう 各少々
揚げ油 適量

1 玉ねぎは輪切りにしてリング状に1枚ずつばらし、強力粉を全体にまぶす。

2 衣を作る。ボウルに卵を割りほぐし、ビールを加えて混ぜる。強力粉とベーキングパウダーを合わせてふるって加え、塩、こしょうを混ぜる。

3 揚げ油を170℃に熱し、玉ねぎに2の衣をくぐらせて入れ、きつね色になるまで揚げる。

玉ねぎはリング状にばらし、強力粉をまぶす。まぶしておくと衣がつきやすい。

卵、ビール、強力粉、ベーキングパウダー、塩、こしょうで作った衣にくぐらせて揚げる。

81 ザワークラウト

サイドメニュー

ソーセージや豚肉料理のつけ合わせでおなじみのキャベツ料理。
肉がメインのサンドイッチやホットドッグに。
作ってしばらくおいて、味をなじませた方がおいしい。

材料／作りやすい分量
キャベツ 1個
塩 小さじ1
水 大さじ3
白ワインビネガー 大さじ1
マスタードシード 大さじ2
キャラウェイシード 大さじ1

1 キャベツはせん切りにする。
2 鍋に1を入れて塩、分量の水を加え、ふたをしてごく弱火で蒸し煮にする。
3 キャベツが完全にしんなりしたら、白ワインビネガー、マスタードシード、キャラウェイシードを加えて混ぜる。火を止めて粗熱をとる。

82 コールスロー

サイドメニュー

フライドチキンやフィッシュ&チップスのつけ合わせに不可欠な、
ほんのり酸っぱいキャベツのサラダ。
フライなどのサンドイッチにつけ合わせるほか、
サンドイッチのフィリングにも。

材料／作りやすい分量
キャベツ ½個
ドレッシング
　酢　小さじ2
　塩　小さじ⅔
　こしょう　少々
　砂糖　小さじ⅓
　オリーブオイル　大さじ2

1 キャベツは1枚ずつにしてさっとゆでて水気をきり、せん切りにし、水気をしっかりと絞る。
2 ボウルに酢、塩、こしょう、砂糖を合わせ、オリーブオイルを少しずつ加えて乳化させる。
3 1を2に加えて手でよく混ぜ合わせる。

83 ミックスピクルス

サイドメニュー

甘酸っぱさとカリッとした歯ごたえがピクルスの身上。
サンドイッチのおともにぴったりです。
多めに作って冷蔵庫にストックしておくのがおすすめ。

材料／作りやすい分量
きゅうり　2本
パプリカ（赤）　1個
セロリ　2本
塩　小さじ2
ピクルス液
　水　1カップ
　酢　½カップ
　塩　小さじ2
　砂糖　大さじ2
　クミンシード　小さじ1
　マスタードシード　大さじ1
　粒黒こしょう　小さじ2

1　きゅうりは縦半分に切り、5〜6mm厚さの斜め切りにする。セロリは斜め薄切りにし、パプリカは5〜6mm幅に切る。ボウルに合わせ、塩をふってなじませる。

2　1の水気を軽く絞り、再びボウルに入れる。

3　鍋にピクルス液の材料を入れてひと煮立ちさせ、2に加える。ひと晩以上漬け込む。

84 フルーツマリネ

サイドメニュー

サンドイッチの口直し、
ちょっとしたデザートにぴったりのフルーツレシピ。
夏ならすいかやプラム、秋なら洋なし、冬ならりんご……、
好みのフルーツを加えても。

材料/作りやすい分量
いちご 20粒
パイナップル 1/4個
キウイフルーツ 1個
マンゴー 1/2個
ブルーベリー 100g
白ワイン 1/2カップ
グラニュー糖 大さじ3
シナモンスティック 1本

1 いちごはヘタをとって縦半分に切る。パイナップルは3～4cm角に切り、キウイフルーツは皮をむいて縦6～8等分に切る。マンゴーは皮をむいて種をとり、3～4cm角に切る。ブルーベリーはそのまま。すべてボウルに入れる。

2 鍋に白ワイン、グラニュー糖、半分に割ったシナモンを入れて火にかけ、ひと煮立ちさせ、1のボウルに加える。

3 そのまま粗熱をとり、冷蔵庫に入れて冷やす。

85 自然派ジャム

サイドメニュー

フルーツの形、色、香り、甘みを生かし、
シンプルな材料で作るプリザーブスタイルのジャム。
サンドイッチのフィリングにするほか、
ヨーグルトにかけてサイドメニューにしても。

いちごジャム

材料／作りやすい分量
いちご 400g
グラニュー糖 220g
レモン汁 ½個分

1 いちごはヘタをとって鍋に入れ、グラニュー糖を加えてまぶし、20分ほどおいてなじませる。
2 1を火にかける。はじめは弱めの中火にし、水気が上がってきたらアクをとり除きながら、中火で25～30分煮る。
3 レモン汁を加えて火を止める。

ブルーベリージャム

材料／作りやすい分量
ブルーベリー 400g
グラニュー糖 220g
レモン汁 1個分

1 ブルーベリーは鍋に入れ、グラニュー糖を加えてまぶし、20分ほどおいてなじませる。
2 1を火にかける。はじめは弱めの中火にし、水気が上がってきたらアクをとり除きながら、中火で25～30分煮る。
3 レモン汁を加えて火を止める。

86 パンの耳ドーナツ

サイドメニュー

サンドイッチの切り落とした耳をとっておき、
ちょっぴり懐かしい庶民派おやつを作ります。
甘いタイプ、甘くないタイプ、お好みで。

チーズドーナツ

材料/作りやすい分量
パンの耳　8～10枚分
揚げ油　適量
パルメザン粉チーズ　大さじ2
パセリのみじん切り　大さじ1

1　揚げ油を170℃に熱し、パンの耳を入れ、きつね色になるまでじっくりと揚げる。網などにのせて油をきる。
2　ビニール袋にパルメザン粉チーズとパセリを合わせ、**1**を入れ、全体にまぶす。

シュガードーナツ

材料/作りやすい分量
パンの耳　8～10枚分
揚げ油　適量
グラニュー糖　大さじ2
シナモンパウダー　小さじ1

1　揚げ油を170℃に熱し、パンの耳を入れ、きつね色になるまでじっくりと揚げる。網などにのせて油をきる。
2　ビニール袋にグラニュー糖とシナモンパウダーを合わせ、**1**を入れ、全体にまぶす。

87 ミックスフルーツサンド

ふんわりクリームにはさまれたフレッシュフルーツを
パンといっしょに楽しむ、デザートパンの代表格。
フルーツは彩りを考えて数種類用意し、切ったときに
フルーツがきれいに見えるように並べるのがポイント。

材料／2人分
食パン（12枚切り）　8枚
いちご、キウイフルーツ、
　パイナップル、マンゴー
　　各適量
キルシュクリーム
　生クリーム　1カップ
　グラニュー糖　大さじ3
　キルシュ　小さじ1

1　いちごはへたをとって縦半分に切る。キウイは1cm厚さの輪切りにし、パイナップル、マンゴーも1cm厚さに切る。それぞれペーパータオルで水気をしっかりと拭きとる。

2　キルシュクリームを作る。生クリームをボウルに入れ、ボウルの底を氷水に当て、グラニュー糖とキルシュを加え、角が立つくらいまで泡立てる。

3　パンは2枚1組にし、**2**をぬり、フルーツを平らに並べる。上からも**2**をぬってフルーツがかくれるようにし、はさむ。

4　手で押さえ、ラップで包み、冷蔵庫で30分ほどおく。

5　耳を切り落として切り分ける。

フルーツはなるべく同じ厚さになるように切っておく。好きなフルーツを使えばよい。

生クリームはグラニュー糖とキルシュを加えて泡立てる。リキュールが少し入ると深みのある味わいに。

フルーツの上からもクリームをぬり、平らにする。平らにすると、切りやすく、見た目もきれい。

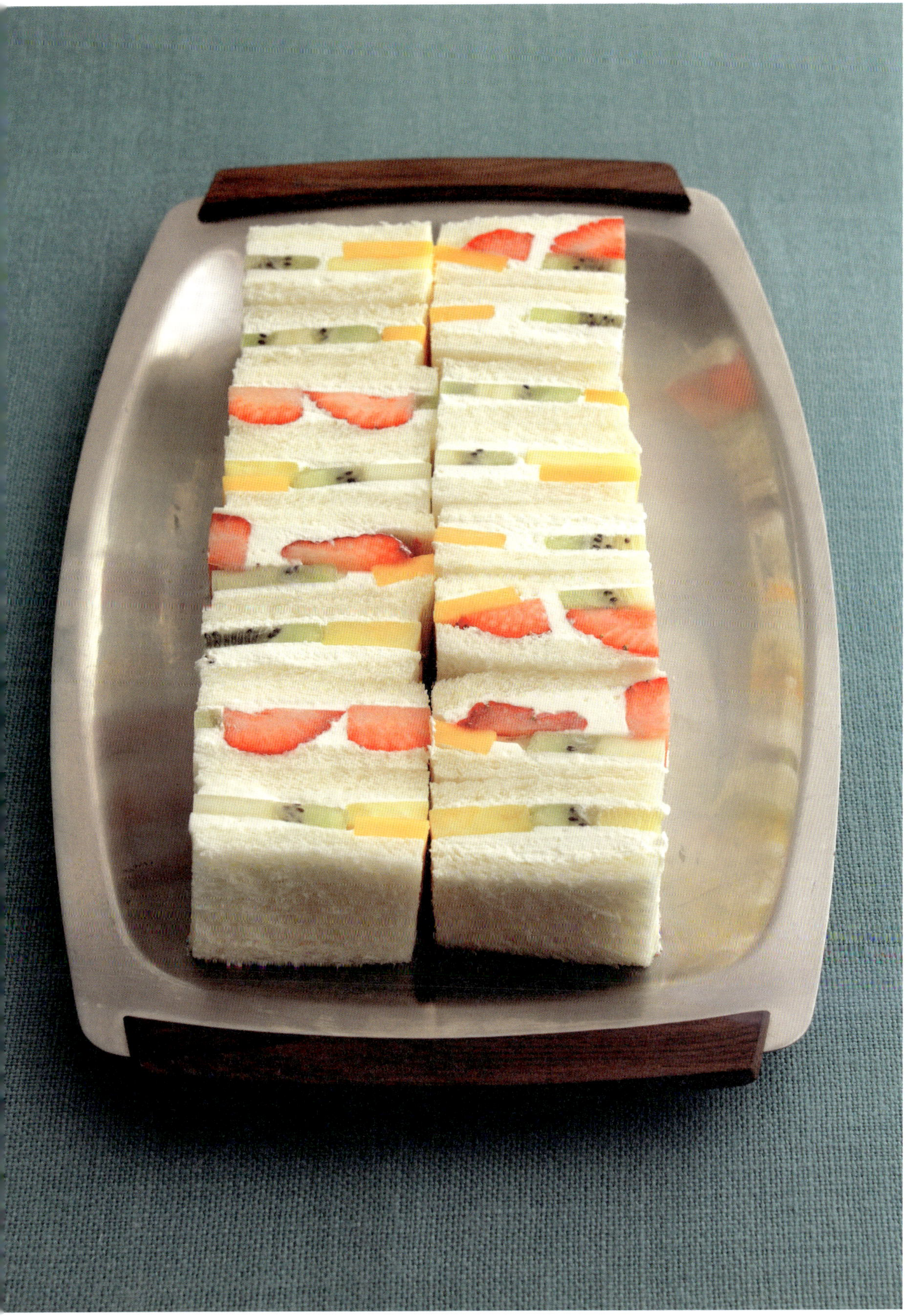

88 黄桃のヨーグルトクリームサンド

缶詰の黄桃、ヨーグルトクリームを組み合わせた
ミックスフルーツサンドのバリエーション。
ちょっぴり懐かしい味わいです。

材料／2人分
食パン（12枚切り） 4枚
黄桃（缶詰） 4切れ
ヨーグルトクリーム
　生クリーム　130mℓ
　プレーンヨーグルト　大さじ2
　グラニュー糖　大さじ2

1　黄桃は1cm厚さに切り、ペーパータオルで水気を拭く。
2　ヨーグルトクリームを作る。生クリームをボウルに入れ、ボウルの底を氷水に当て、グラニュー糖とヨーグルトを加えて角が立つくらいまで泡立てる。
3　パンは2枚1組にし、2をぬり、黄桃を平らに並べる。上からも2をぬり、しっかりと黄桃がかくれるようにし、はさむ。
4　手で押さえ、ラップで包み、冷蔵庫で30分ほどおく。
5　耳を切り落として切り分ける。

生クリームを泡立てるときに、ヨーグルトとグラニュー糖を加える。これでヨーグルトクリームに。

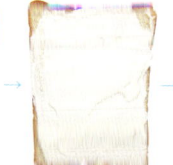

89 バナナと黒糖のコーヒーバターサンド

バナナと黒糖を使った、みんなの好きなサンドイッチ。
コーヒー風味のバターを使って個性的に仕上げます。
味のバランスを考えて、バナナは6〜7mm程度の厚さに切るのがおすすめ。

材料／2人分
食パン（12枚切り）　4枚
バナナ　2本
黒糖（粉末）　大さじ4
コーヒーバター
　バター　大さじ4
　インスタントコーヒー（粉末）
　　小さじ½
　湯　少々

1　コーヒーバターを作る。バターは室温でやわらかくする。インスタントコーヒーを湯で溶き、バターに加えて混ぜ合わせる。
2　バナナは6〜7mm厚さの輪切りにする。
3　パンは2枚1組にし、片面にコーヒーバターをぬり、黒糖をふる。バナナを並べ、上からも黒糖をふってはさむ。
4　手で軽く押さえてなじませ、耳を切り落として切り分ける。

バターをやわらかくし、湯で溶いたインスタントコーヒーを混ぜる。これでコーヒーバターに。

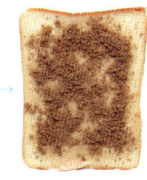

りんごのシナモンクリームサンド

90

バターとリキュールがほんのり香るりんごのソテーを
ブリオッシュにはさんだスイーツレシピ。
シナモン風味のクリームをたっぷりはさんでいただきます。

材料／2人分
- ブリオッシュ　2個
- りんご（紅玉）　½個
- 無塩バター　大さじ1
- グラニュー糖　大さじ1
- レモン汁　少々
- カルバドス　小さじ1
- **シナモンクリーム**
  - 生クリーム　½カップ
  - グラニュー糖　大さじ1
  - シナモンパウダー　小さじ½
- 粉砂糖　少々

1　りんごは芯と種をとり、皮つきのまま1cm角に切る。

2　フライパンに無塩バターを溶かしてりんごを炒め、全体にしんなりしてきたらグラニュー糖とレモン汁を加え、キャラメル状にとろりとしてくるまでさらに炒める。火を止めてカルバドスを加えて香りをつける。

3　シナモンクリームを作る。生クリームをボウルに入れ、ボウルの底を氷水に当て、グラニュー糖とシナモンパウダーを加えてゆるめに泡立てる。

4　ブリオッシュはオーブントースターで軽く温め、厚みを半分に切る。シナモンクリームをおいてりんごをのせ、上にもシナモンクリームをのせてはさむ。粉砂糖をふる。

りんごは皮つきのまま1cm角に切る。皮つきだと炒めたときにほんのりピンク色になる。

りんごをバターで炒め、グラニュー糖とレモン汁を加えてさらに炒める。

生クリームにグラニュー糖とシナモンパウダーを加えて泡立て、シナモンクリームを作る。

113

91 練乳いちごパン

いちご、練乳、ホイップクリーム。おいしいトリオを
ロールパンにはさんでパクッと頬張ります。
いちごの季節にぜひ作りたい、おやつサンドです。

材料／2人分
バターロール　4個
いちご　12粒
練乳　大さじ2
ホイップクリーム
　生クリーム　½カップ
　グラニュー糖　小さじ1

1　ホイップクリームを作る。生クリームをボウルに入れ、ボウルの底を氷水に当て、グラニュー糖を加えて角が立つまでしっかりと泡立てる。
2　いちごはヘタをとって縦半分に切り、大きいものはさらに半分に切る。ボウルに入れ、練乳を加えてあえる。
3　ロールパンの上面に切り目を入れ、ホイップクリームを絞り出し袋に入れて絞り出し、**2**をたっぷりとのせる。

92 はちみつマンゴーサンド

甘くてほんのり酸っぱい南国フルーツのマンゴー、
表面をサクッとさせたトーストパン、とろりとしたはちみつ……。
マンゴー好きにはたまらない、究極のサンドイッチ。

材料／2人分
食パン（6枚切り） 4枚
マンゴー ½個
レモン汁 少々
バター 大さじ2
はちみつ 適量

1　マンゴーは皮をむき、3mm厚さの薄切りにし、全体にレモン汁をかける。
2　パン2枚にバターをぬり、**1**を少しずらしながら重ねて並べ、軽くトーストする。残りのパン2枚もトーストする。
3　マンゴーの上にはちみつをかけてはさむ。

自家製マロンクリームサンド

93

秋にぜひ作ってみたい、季節限定サンドイッチ。
栗をゆでてマロンペーストを作り、
生クリームと砂糖を加えてマロンクリームに。
これをパンにサンドするだけで、ほっぺたが落ちそうなおいしさ。

材料／2人分
食パン（12枚切り）　4枚
マロンペースト（作りやすい分量）
　栗　1kg
　きび砂糖　150g
　バター　50g
　牛乳　大さじ4
　ブランデー　小さじ2
生クリーム　½カップ

1　栗ペーストを作る。栗は洗って30分ほど水に浸す。水気をきって鍋に入れ、新たに水をひたひたになるくらい加え、1時間ほど弱火でゆでる。
2　ゆで汁をきり、半分に切って中身をスプーンなどで出し、裏漉しする。
3　2を鍋に移し、きび砂糖を加えて火にかけ、バターと牛乳を加えてぽってりするくらいのかたさに練る。仕上げにブランデーを加えて混ぜる。
4　3のマロンペースト100gに生クリームを加えて混ぜ合わせる。
5　パンは2枚1組にし、4をたっぷりとぬってはさむ。ラップで包み、冷蔵庫で30分ほどおく。
6　耳を切り落として切り分ける。

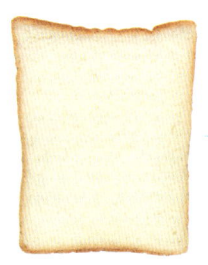

栗はゆでて中身を出す。ゆでる代わりに蒸してもよい。

漉し器で裏漉しする。ちょっと手間がかかるが、これがクリーミーに仕上げるコツ。

ぽってりとするくらいのかたさに練って栗ペーストの完成。保存場所はこの状態で保存瓶などに入れる。

マロンペーストに生クリームを加えてマロンクリームを作れば、これをパンにはさむ。

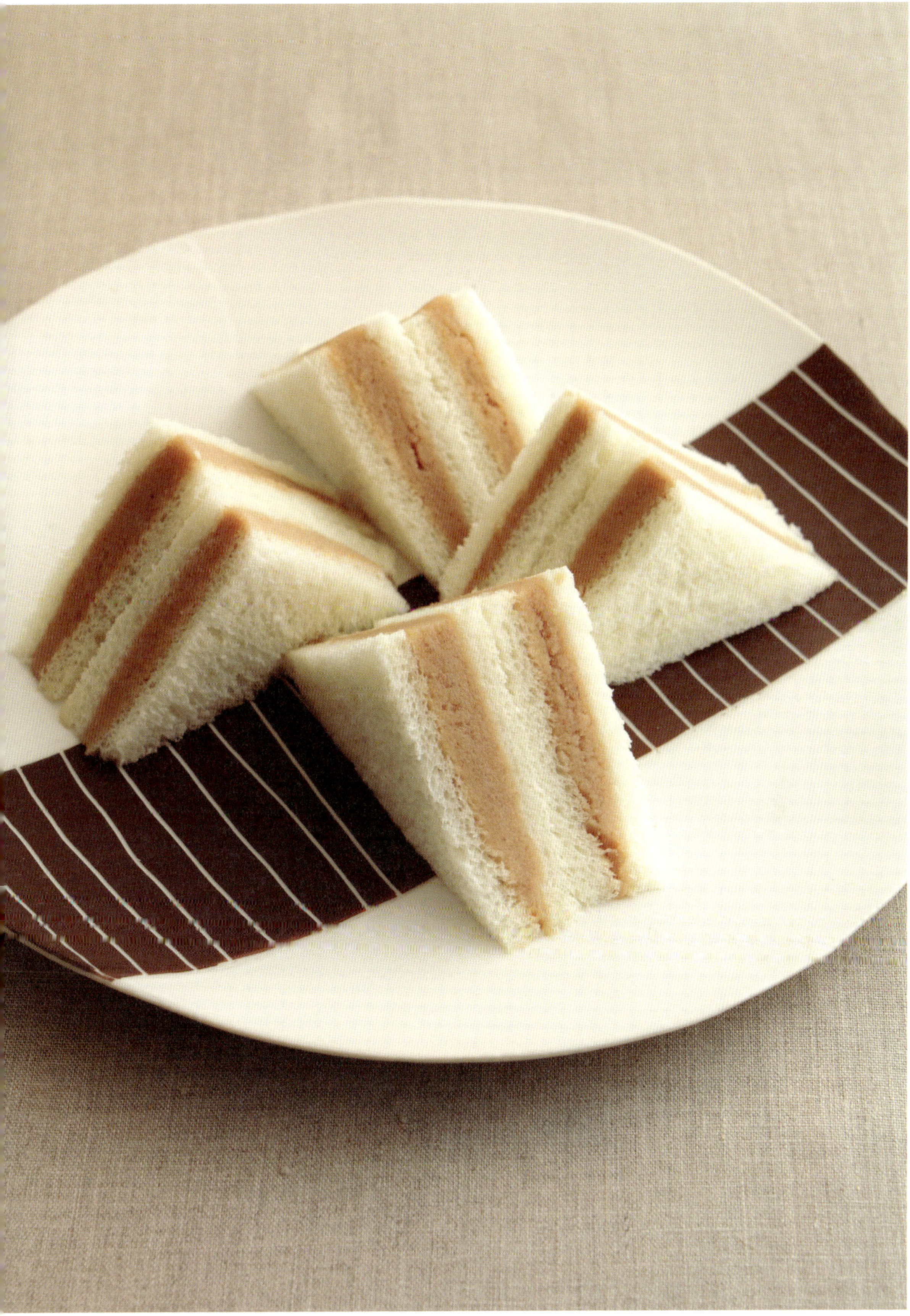

94 あずきクリーム＆いちごサンド

ゆであずきを使った、ちょっぴり和風のサンドイッチ。
いちごのフレッシュさとよく合います。

材料／2人分
食パン（12枚切り） 6枚
あずきクリーム
　生クリーム　1カップ
　グラニュー糖　大さじ2
　ゆであずき（缶詰）　150g
いちご　12～15粒

1　あずきクリームを作る。生クリームをボウルに入れ、ボウルの底を氷水に当て、グラニュー糖を加えてとろりとするまで泡立てる。ゆであずきを加え、しっかりと角が立つまでさらに泡立てる。
2　いちごはヘタをとって縦半分に切る。
3　パンは2枚1組にし、**1**をぬり、いちごを並べる。さらに上からも**1**をぬっていちごがくれるようにし、はさむ。手で押さえ、ラップで包み、冷蔵庫で30分ほどおく。
4　耳を切り落として切り分ける。

あんこバターサンド

あんことバターをパンにはさむだけ！
食べたいときにすぐに作れる超シンプルレシピ。

材料／2人分
バターロール（丸いタイプ）　2個
バター　大さじ2くらい
粒あん（市販）　大さじ2

1　バターはスライスしたものを用意する。
2　パンは厚みを半分に切り、バターをのせ、粒あんを厚めにぬってはさむ。

クルクルあんドーナツ

こしあんでロールサンドを作り、黄金色にカリッと揚げます。アツアツでも冷めてもおいしい！

材料／2人分
食パン（12枚切り）　5枚
こしあん　150g
揚げ油　適量

1　パンは耳を切り落とし、上からめん棒などを転がして薄くのばす。こしあんをぬり、手前からクルクルと巻いて楊枝で留める。
2　揚げ油を170℃に熱して1を入れ、こんがりするまで揚げる。
3　油をきり、楊枝をはずして半分に切る。

97 チョコクリーム＆クルミサンド

ココアと生クリームで作ったチョコクリームは
それだけでもおいしいけれど、ここにクルミをプラス。
好きなナッツを刻んで入れてもよいでしょう。

材料／2人分
食パン（12枚切り）　4枚
チョコクリーム
　生クリーム　½カップ
　ココアパウダー　大さじ2
　湯　大さじ1½
　グラニュー糖　大さじ2
　ラム酒　少々
クルミ　50g

1　チョコクリームを作る。生クリームをボウルに入れ、ボウルの底を氷水に当て、グラニュー糖を加えてとろりとするまで泡立てる。

2　ココアパウダーを分量の湯で溶き、ラム酒と共に1に加え、しっかりと角が立つまでさらに泡立てる。

3　クルミはオーブントースターでローストし、クルミ同士をこすり合わせて軽く皮をむく。

4　パンは2枚1組にし、2をぬり、クルミを散らす。上からも2をぬってクルミがかくれるようにし、はさむ。

5　手で押さえ、ラップで包み、冷蔵庫で30分ほどおく。

6　耳を切り落として切り分ける。

ココアパウダーを分量の湯で溶いてペースト状にし、これを生クリームに加えてチョコクリームに。

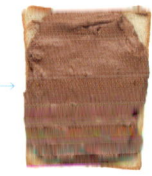

バター＆ジャムサンド

バターといちごジャムをはさんだ、懐かしレシピ。
おいしいバターとお気に入りのジャムを選ぶこと！

材料／2人分
食パン（12枚切り）　4枚
バター　大さじ2
いちごジャム　大さじ4
　いちごジャム　p.106参照。

1　パンは2枚1組にし、片面にバターをぬり、ジャムを厚めにぬってはさむ。
2　手で軽く押さえて少しなじませ、耳を切り落として切り分ける。

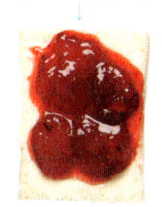

ピーナツバター＆マーマレードサンド

みんなの好きなスプレッドを
ダブルで使った欲張りサンド。
いつ食べても飽きない、また食べたくなる味です。

材料／2人分
食パン（12枚切り）　4枚
ピーナツバター（クリームタイプ）
　大さじ3
オレンジマーマレード　大さじ3

1　パンは2枚1組にし、ピーナツバターをぬり、その上にマーマレードをぬってはさむ。
2　手で軽く押さえて少しなじませ、耳を切り落として切り分ける。

100 手作りカスタードサンド

ちょっぴり腕まくりして作ったカスタードは絶品。
冷蔵庫から取り出したカスタードはツヤツヤで
可愛らしいぽってり感。これを食パンにはさみます。
ひと口頬張ると、とろ～りやわらか。不滅のおいしさです。

材料／2人分
食パン（8枚切り） 8枚
カスタードクリーム(作りやすい分量)
　牛乳　2カップ
　バニラスティック　½本
　卵黄　4個分
　砂糖　100g
　小麦粉（ふるったもの）　40g
　バター（室温に戻したもの）　20g
　ラム酒など好みのリキュール
　　少々

1　カスタードクリームを作る。鍋に牛乳とバニラスティックを入れて火にかけ、沸騰直前で火を止める。

2　ボウルに卵黄と砂糖を入れて混ぜ、小麦粉を加えて混ぜる。**1**を少しずつ加えて混ぜ合わせ、漉して鍋に戻す。バニラスティックは除く。

3　**2**を火にかけ、フツフツと煮立ってとろみがつくまで混ぜ、なめらかになってツヤが出てきたら火から下ろす。

4　バットに移して平らにし、ラップをしてそのまま粗熱をとる。

5　**4**をボウルに移し、バターを加えて混ぜ、ラム酒を入れて香りをつける。再びバットに入れて平らにし、冷蔵庫で冷やす。

6　パンは2枚1組にし、カスタードクリームをたっぷりぬってはさむ。ラップで包み、冷蔵庫で30分ほどおく。

7　耳を切り落として切り分ける。

卵黄と砂糖を混ぜたボウルに、小麦粉を加えて混ぜる。小麦粉はあらかじめふるっておくとダマになりにくい。

温めた牛乳を少しずつ加え、手早く混ぜていく。

万能漉し器などで漉す。このひと手間でなめらかさが違ってくる。

なめらかになってツヤが出てくるまで混ぜながら煮る。

ラップをして粗熱をとり、このあとバターとリキュールを加える。

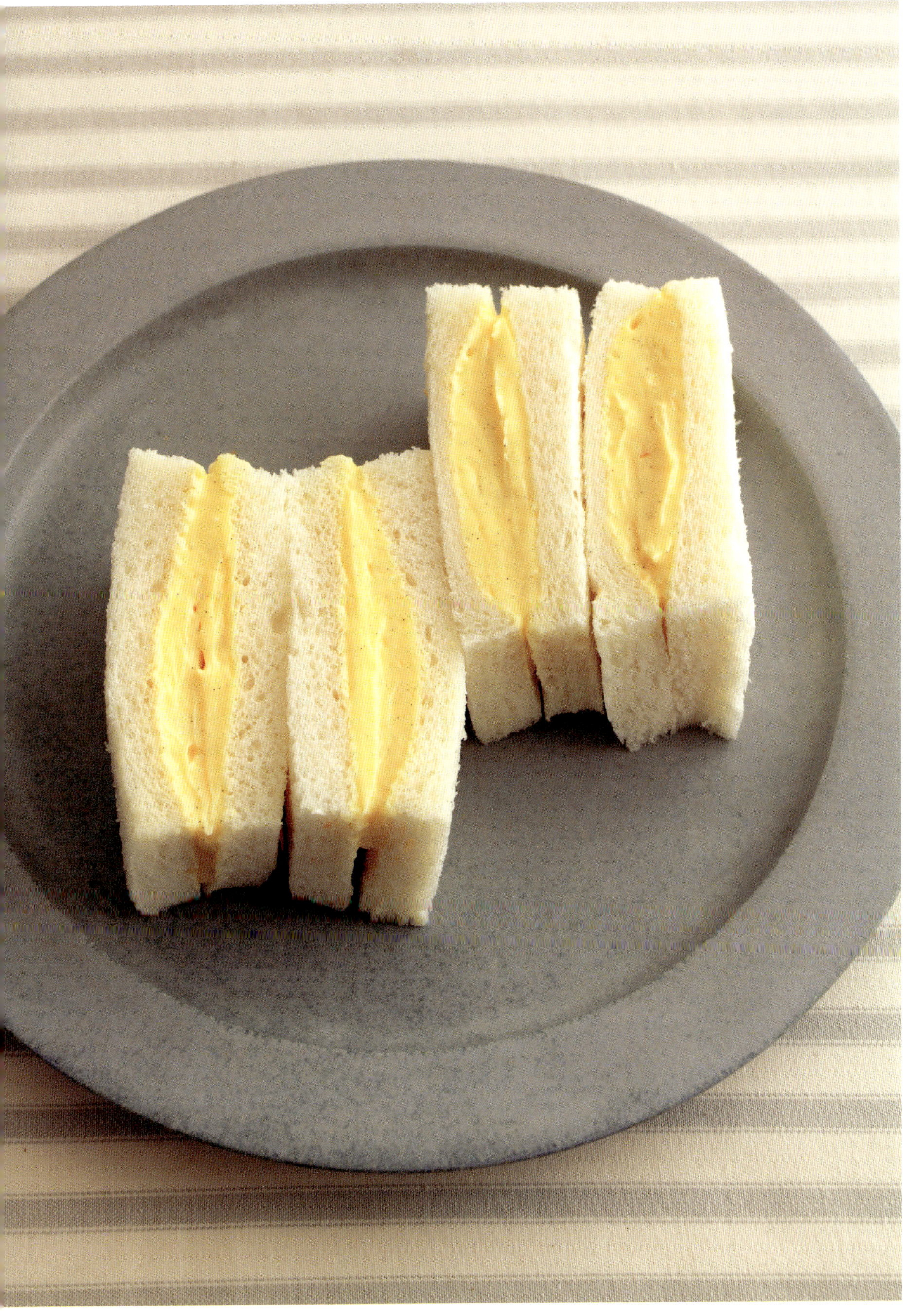

食べたい素材で探す index

...... 肉

■牛肉
ローストビーフサンド 52
ビーフステーキサンド 53
ビーフカツサンド 54
バインミー 74
プルコギサンド 76

■鶏肉
クラブハウスサンド 44
チキン南蛮サンド 60
カレー・ド・チキンサンド 61
中国風照り焼きチキンサンド 62
レバーペーストサンド 84

■豚肉
トンカツサンド 56
ポーク、野菜＆目玉焼きサンド 58
チャーシューサンド 63
自家製リエットサンド 82

■ひき肉
メンチカツサンド 64
キーマカレーパン 71
ピロシキ風 72
チリコンドッグ 91
ハンバーグサンド 92
スタンダードハンバーガー 94
チーズバーガー 95
ベーコンエッグバーガー 96
サルサバーガー 97

...... 肉加工品

■コンビーフ
コンビーフサンド 21
■ソーセージ
ホットドッグ 90
チリコンドッグ 91

■生ハム
生ハム＆ラディッシュサンド 49
■ハム
ハムサンド 18
ハムステーキサンド 19
ハムカツサンド 20
クロックムッシュ 46
クロックマダム 48
■ベーコン
B.L.T.サンド 42
クラブハウスサンド 44
ベーコンエッグバーガー 96

...... 魚介

■あじ
あじの干ものフライサンド 70
■えび
えび＆アボカドサンド 39
えびカツサンド 68
■かに
かに＆アボカドサンド 40
■さば
トルコ風さばサンド 77
■たらこ
タラモサラダサンド 22

...... 海産加工品

■オイルサーディン
オイルサーディンのオープンサンド 50
■かまぼこ
かまぼこサンド 24
■スモークサーモン
サーモンペーストサンド 86
■ツナ
ツナサンド 23
和風ツナサンド 24

■焼きのり
　和風ツナサンド　24
　きんぴらサンド　25

…… 卵
　卵サンド　14
　スクランブルエッグサンド　16
　かに＆アボカドサンド　40
　クラブハウスサンド　44
　クロックマダム　48
　ポーク、野菜＆目玉焼きサンド　58
　チキン南蛮サンド　60
　えびカツサンド　68
　ベーコンエッグバーガー　96

…… チーズ
　チーズサンド　17
　クロックムッシュ　46
　クロックマダム　48
　サーモンペーストサンド　86
　チーズペーストのオープンサンド　87
　チーズバーガー　95

…… パスタ・焼きそば
　マカロニサラダサンド　29
　ナポリタンドッグ　30
　焼きそばパン　31

…… 豆
■赤いんげん豆
　チリコンドッグ　91
■あずき
　あずきクリーム＆いちごサンド　118
■ひよこ豆
　フムスサンド　78
　ファラフェルサンド　80

…… 野菜
■青じそ
　かまぼこサンド　24
　あじの干ものフライサンド　70
　バインミー　74
■きのこ類
　ビーフステーキサンド　53
　プルコギサンド　76
　きのこのペーストサンド　89
■キャベツ・紫キャベツ
　ハムカツサンド　20
　ミックスサラダサンド　38
　トンカツサンド　56
　チキン南蛮サンド　60
　コロッケサンド　66
　ファラフェルサンド　80
　ホットドッグ　90
　ザワークラウト　102
　コールスロー　103
■きゅうり
　コンビーフサンド　21
　かまぼこサンド　24
　きゅうりだけサンド　36
　ミックスサラダサンド　38
　ポーク、野菜＆目玉焼きサンド　58
　中国風照り焼きチキンサンド　62
　あじの干ものフライサンド　70
　ファラフェルサンド　80
　ミックスピクルス　104
■クレソン
　クレソンだけサンド　33
　ローストビーフサンド　52
■ごぼう
　きんぴらサンド　25
■サラダ菜
　かに＆アボカドサンド　40
　ビーフステーキサンド　53
　ハンバーグサンド　92

125

■サンチュ
　プルコギサンド　76
■じゃが芋
　タラモサラダサンド　22
　ポテトサラダサンド　26
　サモササラダサンド　28
　コロッケサンド　66
　ポテトフライ　98
　ポテトフライバリエ　99
　ポテトチップス　100
■香菜
　チャーシューサンド　63
　バインミー　74
　フムスサンド　78
　サルサバーガー　97
■セロリ
　かまぼこサンド　24
　ミックスピクルス　104
■大根
　バインミー　74
■玉ねぎ・紫玉ねぎ
　ハムサンド　18
　ハムステーキサンド　19
　ミックスサラダサンド　38
　ローストビーフサンド　52
　ビーフステーキサンド　53
　ポーク、野菜＆目玉焼きサンド　58
　あじの干ものフライサンド　70
　プルコギサンド　76
　トルコ風さばサンド　77
　ファラフェルサンド　80
　チーズバーガー　95
　オニオンリングフライ　101
■トマト
　ミックスサラダサンド　38
　えび＆アボカドサンド　39
　B.L.T. サンド　42
　クラブハウスサンド　44

　オイルサーディンのオープンサンド　50
　トマトのブルスケッタ　51
　ポーク、野菜＆目玉焼きサンド　58
　トルコ風さばサンド　77
　フムスサンド　78
　ファラフェルサンド　80
　スタンダードハンバーガー　94
　サルサバーガー　97
■長ねぎ
　中国風照り焼きチキンサンド　62
　チャーシューサンド　63
■なす
　フムスサンド　78
　なすのペーストサンド　88
■にら
　プルコギサンド　76
■にんじん
　にんじんだけサンド　37
　バインミー　74
　プルコギサンド　76
■パプリカ
　ミックスピクルス　104
■ホワイトアスパラガス
　アスパラガスだけサンド　34
■ラディッシュ
　生ハム＆ラディッシュサンド　49
■レタス・サニーレタス・グリーンカール
　レタスだけサンド　35
　B.L.T. サンド　42
　クラブハウスサンド　44
　ポーク、野菜＆目玉焼きサンド　58
　カレー・ド・チキンサンド　61
　中国風照り焼きチキンサンド　62
　チャーシューサンド　63
　メンチカツサンド　64
　えびカツサンド　68
　あじの干ものフライサンド　70
　バインミー　74

ファラフェルサンド　80
　　スタンダードハンバーガー　94
　　チーズバーガー　95
　　サルサバーガー　97
■れんこん
　　きんぴらサンド　25

...... フルーツ・ナッツ
■アボカド
　　えび＆アボカドサンド　39
　　かに＆アボカドサンド　40
　　サルサバーガー　97
■いちご
　　フルーツマリネ　105
　　自然派ジャム　106
　　ミックスフルーツサンド　108
　　練乳いちごパン　114
　　あずきクリーム＆いちごサンド　118
■黄桃
　　黄桃のヨーグルトクリームサンド　110
■キウイフルーツ
　　フルーツマリネ　105
　　ミックスフルーツサンド　108
■栗
　　自家製マロンクリームサンド　116
■パイナップル
　　フルーツマリネ　105
　　ミックスフルーツサンド　108
■バナナ
　　バナナと黒糖のコーヒーバターサンド　111
■ブルーベリー
　　フルーツマリネ　105
　　自然派ジャム　106
■マンゴー
　　フルーツマリネ　105
　　ミックスフルーツサンド　108
　　はちみつマンゴーサンド　115

■りんご
　　りんごのシナモンクリームサンド　112
■ナッツ
　　チョコクリーム＆クルミサンド　120

...... クリーム
■サワークリーム
　　きのこのペーストサンド　89
■生クリーム
　　ミックスフルーツサンド　108
　　黄桃のヨーグルトクリームサンド　110
　　りんごのシナモンクリームサンド　112
　　練乳いちごパン　114
　　自家製マロンクリームサンド　116
　　あずきクリーム＆いちごサンド　118
　　チョコクリーム＆クルミサンド　120
■カスタードクリーム
　　手作りカスタードサンド　122

...... その他
　　ポテトチップスサンド　32
　　パンの耳ドーナツ　107
　　あんこバターサンド　119
　　クルクルあんドーナツ　119
　　バター＆ジャムサンド　121
　　ピーナツバター＆マーマレードサンド　121

坂田阿希子　SAKATA AKIKO

料理家。
フランス菓子店やフランス料理店での経験を重ね、独立。
現在、料理教室「studio SPOON」を主宰し、
国内外を問わず、常に新しいおいしさを模索。
プロの手法を取り入れた家庭料理の数々は、
どれも本格的な味わい。
著書に『そうだ！パスタにすればいいんだ！』（講談社）、
『絶品マリネ』（家の光協会）、
『スープ教本』、『サラダ教本』、『洋食教本』、『おやつ教本』、
『お弁当教本』（すべて東京書籍）など多数。

studio SPOON　http://www.studio-spoon.com/

ブックデザイン	茂木隆行
撮影	広瀬貴子
スタイリング	久保百合子
構成・編集	松原京子
DTP	山田大介（山田屋）
プリンティングディレクター	栗原哲朗（図書印刷）

サンドイッチ教本

2011年 7月 4日　第1刷発行
2019年 3月25日　第11刷発行

著　者　　坂田阿希子
発行者　　千石雅仁
発行所　　東京書籍株式会社
　　　　　東京都北区堀船 2-17-1　〒114-8524
　　　　　電話　03-5390-7531（営業）　03-5390-7508（編集）
印刷・製本　図書印刷株式会社

Copyright © 2011 by Akiko Sakata
All Rights Reserved.
Printed in Japan
ISBN978-4-487-80554-9 C2077
乱丁・落丁の際はお取り替えさせていただきます。
本書の内容を無断で転載することはかたくお断りいたします。